SOMMAIRE

L'ART ROMAN
UN DÉFI EUROPÉEN

Alain Erlande-Brandenburg

DÉCOUVERTES GALLIMARD
ARTS

L'an mille évoque le plus souvent une image de crainte de la fin du monde, mais en réalité les contemporains ne l'ont pas perçu ainsi. C'est une époque en plein développement, qui est restée fidèle aux traditions carolingienne et antique. Maîtres d'ouvrage et créateurs y puisent modèle et inspiration, s'efforçant de montrer dans leurs œuvres le lien entre politique et religieux.

CHAPITRE 1

L'EUROPE DE L'AN MILLE

L'empereur Henri II (1002-1024) imposa à l'enlumineur du sacramentaire (à gauche) de copier la représentation de Charles le Chauve, empereur carolingien (874-877), pour légitimer son propre pouvoir. Les Vierges et l'Enfant, dont celle d'Essen (à droite),se répandent au cours de cette période : taillées dans le bois et revêtues de feuilles d'argent et d'or. Le thème religieux est hérité des époques antérieures.

Les premiers temps chrétiens (IVᵉ siècle)

L'Europe de l'an mille (v. 960-1060) n'est plus celle de l'Antiquité classique. En neuf siècles, elle a subi un certain nombre de bouleversements qui ont touché la vie matérielle et spirituelle des « Européens ». Le plus riche de conséquences a été l'édit de Tolérance, par lequel l'empereur Constantin donnait, en 313, un statut légal à la religion chrétienne, jusqu'alors combattue, et intégrait l'Église dans l'État. De martyrisé, le christianisme devenait toléré, et bientôt favorisé. Entre pouvoir politique et pouvoir religieux, s'établissait dès lors un lien étroit qui a sous-tendu une grande partie de l'histoire médiévale.

Il se traduisit tout de suite dans l'organisation administrative romaine. Celle-ci était fondée sur les *civitates*, dont les villes étaient les chefs-lieux; l'Église s'y est donc installée, sous la forme d'un ensemble comprenant l'église de l'évêque (la cathédrale), le baptistère et la résidence. Or, en ces siècles d'invasions, Rome avait cherché à protéger les villes en en réduisant le périmètre pour pouvoir les entourer d'une enceinte de pierre. Ainsi les édifices majeurs de la vie publique – forum, palais pour le pouvoir civil et ensemble cathédral pour le pouvoir religieux – y étaient désormais assemblés.

De la fin de l'Empire romain à l'Empire carolingien

La défense matérielle ne suffit pas à contenir les peuples germaniques. Autour des années 400, ils déferlèrent sur l'Europe occidentale. Les Ostrogoths envahirent l'Italie (400), franchirent le Rhin (410), conquirent l'Espagne vers 411. Une seconde vague, conduite par Attila, fut finalement défaite en 451 aux champs

L'ensemble cathédral imaginé par les architectes de Constantin est resté la référence du Moyen Âge. Au VIᵉ siècle, Euphrasius, évêque de Poreč (Croatie), s'en est inspiré lorsqu'il a renouvelé sa cathédrale : il comprend, sur un axe est-ouest, une basilique (3) à trois vaisseaux charpentés séparés par des colonnes de marbre, dans la mosaïque de l'abside centrale figure l'évêque offrant à la Vierge la maquette de l'édifice ; l'atrium (2); le baptistère (1); le clocher, plus tardif (6). Au nord-ouest, se trouvent la demeure épiscopale (7) et, derrière elle, les fondations de la première cathédrale (4) et une chapelle commémorative (5).

Les rois chrétiens ont montré leur attachement à la tradition romaine en se faisant inhumer, comme les empereurs, dans des mausolées de plan circulaire (ainsi celui de Constantin à Constantinople, d'Hélène et de Constance à Rome). Le roi des Ostrogoths, Théodoric le Grand (†526), fit de Ravenne sa capitale et y construisit son tombeau (ci-contre) à l'extérieur de la ville. Il adopta un parti original en édifiant la rotonde funéraire au-dessus d'un soubassement polygonal. Le tout est en pierre d'Istrie, et couvert d'un gigantesque monolithe, alors que les constructions de Ravenne étaient en brique.

Catalauniques près de Troyes. Les Romains s'ingénièrent à les intégrer dans l'Empire en les recrutant comme soldats ou comme fédérés ; leur cédant des terres, ils les chargèrent de la défense du territoire. C'est ainsi qu'émergèrent les royaumes chrétiens avec à leur tête Théodoric Ier (†451) à Toulouse, les Burgondes (443) avec Genève comme capitale. Ils avaient adopté entre-temps la religion chrétienne sous la forme hétérodoxe de l'arianisme qui affirmait que dans la Trinité seul le Père était Dieu. La conversion de Clovis au chritianisme sous la forme catholique assura l'intégration des Francs dans la romanité. En 476, Romulus Augustule avait été déposé par Odoacre, roi des Hérules. La scission était consommée entre l'Orient, avec sa capitale à Constantinople, et l'Occident

| Saint Empire romain germanique | Territoires non convertis au christianisme | ●●●● Limite des chrétientés orthodoxes et catholiques | Empire byzantin | Empire caroli en 814 |

morcelé en royaumes chrétiens. Justinien, empereur d'Orient (527-565), s'efforça d'établir l'unité impériale en s'emparant de Rome (536) et de Ravenne (540). La religion catholique qui s'imposa à partir de la fin du VIe siècle aux Wisigoths (587) a été le ferment d'une nouvelle unité. Le pape Grégoire Ier (†604) poursuivit cette action de conversion auprès des Lombards et en Angleterre.

La renaissance carolingienne (VIIIe-IXe siècle)

C'est l'alliance politico-religieuse entre le roi des Francs Pépin (†768) et ses successeurs, Charlemagne (†814) et Louis le Pieux (†840), et la papauté qui a considérablement transformé la réalité occidentale : le sacre de Pépin en 751 et le couronnement de Pépin et son fils, Charlemagne, avaient considérablement amplifié le royaume franc vers le sud, le nord-est et l'est, pour créer un nouvel empire. À la suite des invasions normandes et de la mort de Louis le Pieux (840), cet empire éclata. Plusieurs royaumes et principautés en résultèrent, en particulier le Saint Empire romain germanique. Ils ont été le cadre de la recomposition de l'Europe occidentale.

Charlemagne en 800 donnèrent à la nouvelle dynastie carolingienne une dimension sacerdotale.
Il revient alors à l'empereur de réunir les deux pouvoirs, civil et religieux. L'extension territoriale de l'Empire franc – la *dilatatio imperii* – pouvait alors prendre l'allure d'une croisade : en Espagne, en Saxe, en Scandinavie, chez les Avars en Europe centrale.

Des constructions se révélaient indispensables dans les pays conquis pour répondre aux besoins, religieux et civils. Les souverains carolingiens renouèrent avec la tradition romaine en retrouvant un rôle d'initiateurs. Ils définirent les projets, les financèrent, les réalisèrent. Dans le domaine religieux, ils restèrent fidèles à la tradition constantinienne de la basilique charpentée et du plan centré. Ils apportèrent plus d'imagination dans les résidences et les palais, emblèmes de leur pouvoir. À Aix-la-Chapelle, capitale carolingienne, le schéma associe la résidence, les services, l'*aula* – salle de réunion – et la chapelle palatine.

La chapelle d'Aix est manifestement inspirée d'édifices de l'Antiquité tardive avec ses colonnes de marbre venant de Rome et de Ravenne (ci-dessus, avant sa restauration en 1884). De même, en se faisant représenter en statue équestre, Charlemagne s'inscrit dans la tradition antique.

La fin d'un monde

Les invasions nordiques, aux conséquences dramatiques, ont accéléré le processus de décomposition auquel ne pouvait échapper un territoire aussi vaste réunissant des réalités disparates et sans capitale vraiment reconnue. Les envahisseurs une fois battus ou neutralisés, un nouvel équilibre s'est institué au milieu du Xe siècle. Une carte politique de l'Europe s'est dessinée à la suite du découpage de l'Empire carolingien. Le Saint Empire romain germanique créé avec Otton Ier en 962, qui se fait couronner empereur à Rome par le pape, s'affirmait comme la puissance politique dominante, tandis que de nouvelles principautés apparaissaient en Europe centrale.

La nouvelle Europe

La Méditerranée perd alors son rôle centralisateur et l'extension septentrionale et orientale impose une transformation radicale. Elle est totale, sous-tendue par une véritable « reprise », résultat de multiples composantes qui permettent à l'Europe occidentale de se lancer dans une aventure qui ne sera plus jamais interrompue.

La croissance démographique est l'un de ses aspects les plus saisissants même s'il est difficile de le quantifier, elle s'évalue à ses conséquences rurales et urbaines.

Dans les régions du Nord et de l'Ouest, de grands défrichements sont opérés pour mettre en valeur des terres jusqu'alors inexploitées, marquant un recul généralisé de la forêt. Ils sont le fait de nouveaux venus, désignés par les documents comme *advenae*, bien outillés et bien formés, et qui se livrent à des travaux lourds : écobuage (défrichement et brûlis), assèchement, irrigation. Les monastères et les seigneurs offrent alors aux paysans des conditions avantageuses pour se fixer au sol.

L'excédent de population de ce monde rural en plein développement va se déverser dans les villes, en particulier dans le nord de l'Europe. Désertifiées à partir du IVe siècle à cause de l'insécurité et des difficultés d'approvisionnement, les villes se repeuplent alors et débordent bientôt hors de leurs remparts antiques. Des bourgs et des faubourgs se développent aux environs immédiats des cités, ou autour d'un élément focalisateur : abbaye, château, croisement de routes, pont. Cette nouvelle population urbaine n'a guère de rapports avec celle qui peuplait les villes antiques : les habitants sont libres, indépendants, entreprenants, âpres au gain, désireux de se lancer dans des opérations commerciales proches ou lointaines.

L'opposition entre le monde rural et la ville devient manifeste dès l'an mille. Le premier reste encore attaché aux techniques anciennes avec le soc de bois durci au feu, tiré par deux bœufs, qui égratigne la terre sans s'enfoncer profondément (ci-dessus, dans un manuscrit du XIe siècle).

La ville en pleine renaissance devient lieu de pouvoir et de richesse. Dès le XIe siècle, San Gimignano en Italie se caractérise par la construction de tours de bois, emblèmes du pouvoir de leurs propriétaires. Elles ont été ensuite reconstruites en pierre (ci-contre).

L'activité commerciale entre les villes a indirectement créé un nouveau réseau routier qui, en France, s'est constitué à partir de Paris. Pour franchir les cours d'eau, il a fallu construire des ponts, les premiers en bois, et, dès l'époque romane, en pierre, plus résistante. Celui de Vernay (ci-dessous), qui franchit le Thouet à Airvault (Deux-Sèvres), se caractérise par la forme des chaperons et des arches confortées de trois doubleaux.

La « mondialisation »

Des rapports nouveaux, fondés sur l'échange, s'établissent entre la ville et la campagne. Le réseau routier romain, de conception stratégique, est adapté aux nouveaux échanges commerciaux. Il est complété, hors de l'ancien Empire carolingien, grâce à un véritable aménagement du territoire qui permet de créer une infrastructure fluviale et terrestre destinée à relier les différentes régions.

Les fleuves, qui ont servi aux Vikings pour attaquer les riches abbayes carolingiennes et assiéger les villes, deviennent alors de paisibles voies de communication. La mer ne se réduit plus à la Méditerranée ; la mer du Nord et la Baltique sont le théâtre d'un commerce intense. L'horizon de l'Européen s'élargit considérablement ; pour la première fois, il se trouve confronté à un phénomène qu'il connaîtra à plusieurs reprises, la « mondialisation », avec ses conséquences psychologiques de clivage entre les hommes entreprenants et les inquiets de l'avenir.

La société féodale

Cette recomposition générale du panorama européen s'est accompagnée d'un nouvel ordre politique. Le pouvoir carolingien obéissait à une conception centralisatrice qui aboutissait au souverain, à l'initiative des décisions essentielles.

Pour figurer une scène biblique, le peintre de cette enluminure (ci-dessous, manuscrit du Xe siècle) s'est inspiré de l'hommage féodal : à gauche, le roi assis et couronné, reçoit la soumission des vassaux par serment. C'est une iconographie qui s'est imposée ensuite.

Son affaiblissement au cours du IXe siècle laisse émerger une multitude de seigneurs, petits ou grands, qui cherchent à récupérer une part de l'autorité publique. Ils se veulent indépendants et tissent des rapports politiques non plus de droit, mais fondés sur les liens d'homme à homme grâce à l'hommage prêté par le vassal à celui qui assure sa sécurité, le suzerain. La société féodale se met ainsi en place dans sa diversité et sa hiérarchie pyramidale. Pour retrouver la plénitude de la souveraineté, les rois doivent s'imposer au sommet de la pyramide.

L'Europe chrétienne

L'unité occidentale s'établit grâce à une religion partagée par l'ensemble des Européens. La politique de croisade conduite par Charlemagne se poursuit, la « Cité de Dieu » exigeant que tous les hommes partagent la même croyance. Les hérésies chrétiennes ont été réduites et l'effort général porte sur la conversion des peuples païens. Les Byzantins se chargent des Serbes, des Moraves, des Bulgares et des Russes, renforçant ainsi le partage de l'Europe en deux entités.

Dans la seconde moitié du Xe siècle, la conversion de grands seigneurs ou de souverains entraîne celle de leur peuple. En 911, après le traité de Saint-Clair-sur-Epte, c'est Rollon avec les Vikings installés en Normandie ; Mieszko Ier, roi de Pologne, en 964 ; Svend, roi de Scandinavie, en 965. La Bohême a longtemps résisté : l'empereur Otton Ier impose finalement son autorité au roi Boleslas Ier (929-967) et l'évêché de Prague est créé en 973. Géza, duc des Hongrois (972-997), se convertit au catholicisme avec son fils qui prend alors le nom d'Étienne et devient le premier roi de Hongrie.

L'apparition de nouveaux royaumes chrétiens a été favorisée par la papauté et l'Empire byzantin. Pour s'attacher les souverains et mettre en évidence leur dépendance, l'une et l'autre ont offert des couronnes royales. Celle dite de Saint-Étienne (à gauche) a été donnée à la reine de Hongrie, femme de Géza Ier (1074-1077), par l'empereur Michel VII Doukas (1071-1078) qui s'est fait représenter au-dessus du roi.

Charlemagne avait imposé que les enfants soient baptisés avant l'âge d'un an. Il ne pouvait donc plus être question de les plonger dans une piscine comme il était de coutume pour les adultes. À compter de cette époque, le baptême fut administré dans des cuves comme celle de Split (Croatie, ci-dessous), un des plus anciens exemples, qui conserve le plan hexagonal des cuves des baptistères du IVe siècle.

Le christianisme joue un rôle d'assimilation, se heurtant aux traditions régionales, ce qui provoque parfois des oppositions violentes comme en Suède. Néanmoins, le mouvement est irréversible et a comme conséquence l'établissement dans ces pays christianisés d'une structure religieuse avec la création d'archevêchés et d'évêchés qui se pérennisent.

La réforme de l'Église et le rôle de l'abbaye de Cluny

Pépin et Charlemagne, puis Louis le Pieux, qui souhaitaient réorganiser l'Église catholique, ont initié un certain nombre de réformes, dont la plus décisive a concerné le clergé. Ils ont établi une distinction de statut entre les moines, vivant dans un monastère sous la règle de saint Benoît revue en 817, et les chanoines, partageant une vie commune à l'intérieur d'un enclos canonial et dans l'édifice de culte.

C'est dans ce schéma que s'inscrit la fondation en 909 par un laïc, Guillaume d'Aquitaine, de l'abbaye de Cluny, en Bourgogne. Elle réussit à imposer cet esprit de réforme à une grande partie du clergé de l'Europe, papes, évêques, abbés et aussi à des laïcs. Le statut particulier de l'abbaye et la qualité des six abbés qui se succèdent à Cluny pendant deux siècles (909-1109) ne sont pas les seules raisons de son impressionnant succès. Son fondateur a soustrait l'abbaye de l'autorité civile et religieuse pour ne la faire dépendre que des saints apôtres Pierre et Paul, à Rome. Le privilège d'exemption, qui lui permet d'échapper au pouvoir politique et à la hiérarchie ecclésiastique, lui donne la possibilité de se consacrer pleinement à sa mission spirituelle.

Le succès est d'abord immédiat auprès des abbayes. À la fin du XIe siècle, 1 450 maisons, dont 815 en France, se sont affiliées à l'abbaye

L'extension clunisienne passe par l'implantation d'abbayes importantes, telles Saint-Martin-des-Champs à Paris, Saint-Martial à Limoges, Le Bec, Saint-Remi à Reims, Malmesbury en Angleterre, le Mont-Cassin en Italie, Ripoll et Silos en Espagne, et par l'appui de souverains : Guillaume le Conquérant en Angleterre, Sanche III

| Grande densité d'abbayes clunisiennes | • Abbaye clunisienne | 0 ___ 250 km |

en Navarre, Alphonse VI en León-Castille. En revanche, dans le Saint Empire, elle s'est heurtée à la volonté d'indépendance des évêques germaniques désireux de conserver la haute main sur les grands monastères. La percée finit par réussir cependant grâce aux abbayes de Saint-Gall, Reichenau, Hildesheim.

bourguignonne, plus de dix mille moines sont
sous l'autorité d'un père commun. Jusqu'alors
les abbayes se voulaient indépendantes, elles sont
dorénavant unies en une seule famille monastique.

La deuxième étape est l'extension de la réforme
monastique à l'ensemble du clergé. L'exemple
de Cluny fait tache d'huile et d'autres abbayes
réformées se muent en chefs de file : Gorze près
de Metz vers 933, Saint-Victor de Marseille en 977,
Camaldoli près d'Arezzo vers 1014, Vallombreuse
près de Florence vers 1039. Le courant de réforme
est devenu si incontournable qu'il parvient
à porter au trône pontifical des papes favorables au
mouvement, en particulier Hildebrand, qui prend le
nom de Grégoire VII (1073-1085). Son pontificat est
décisif dans l'aboutissement et l'institutionnalisation

Grégoire VII entre en
conflit avec l'empereur
Henri IV en publiant en
1075 les *Dictatus
papae*, dans lesquels
il affirme la supériorité
du pouvoir spirituel sur
le temporel. En réponse,
Henri IV le fait déposer
par un synode et fait
nommer un « anti-
pape ». En 1076,
Grégoire VII
excommunie alors
l'empereur qui doit
venir faire pénitence à
Canossa. La lutte dure
jusqu'à la mort du pape,
en 1085 (ci-dessus).

des réformes, c'est pourquoi on parle souvent de « réforme grégorienne ». L'élection du pape est réservée aux seuls cardinaux (1054), l'investiture par des laïcs de religieux interdite (1075), et la possibilité donnée au pape de déposer l'empereur admise.

Cette transformation radicale de la société a des répercussions sur la création artistique contemporaine. Elle fait apparaître de nouveaux besoins chez les laïcs comme chez les religieux.

Les maîtres d'ouvrage laïcs et leurs résidences

S'agissant de la société laïque, ce renouveau concerne principalement la résidence des seigneurs, symbole de leur pouvoir. Dans les villes, ils se sont contentés de récupérer d'anciennes résidences, généralement d'origine romaine, et de réaliser quelques travaux d'aménagement. Dans le monde rural, ils ont manifesté leur pouvoir par un édifice aisément identifiable et visible de loin. La multitude de seigneuries, dont un grand nombre fort modestes, a abouti à hérisser les territoires de tours dressées sur des buttes aménagées, auxquelles on a donné le nom de « mottes féodales ». Il s'agissait de constructions de terre et de bois, constituées de deux ensembles : la motte et la basse-cour. La motte comportait à son sommet la tour, en bois, qui avait un rôle défensif (surveillance et refuge). La basse-cour, protégée par un fossé et une palissade de bois, était composée de la résidence du seigneur et des bâtiments utilitaires, comme la ferme.

Les seigneurs les plus fortunés conçoivent, autour de l'an mille, des ensembles dont la finalité est toute différente. Au sommet d'une éminence de terre, ils élèvent un bâtiment de pierre, généralement sur un plan rectangulaire, regroupant le *domicilium*, l'habitation du seigneur et de sa famille, et l'*aula*,

La broderie de Bayeux, tissée peu après la conquête de l'Angleterre par Guillaume le Conquérant (1066), est un témoignage exceptionnel sur les « mottes féodales » en Europe à la fin du Xe siècle et au XIe. Les mottes attestent de l'éclatement du pouvoir centralisé carolingien. De construction rudimentaire par l'emploi de la terre et du bois, elles se veulent une manifestation du pouvoir seigneurial : voir et être vu pour affirmer sa domination.

une grande salle destinée à réunir leurs familiers. La défense est alors assurée par l'enceinte extérieure. Ces constructions, rudimentaires à l'origine, se sont développées pour devenir plus tard les châteaux forts. Les plus anciennes atteignent des dimensions impressionnantes comme à Nogent-le-Rotrou, mentionné dès 1028 (26 x 17 m au sol, 35 m de haut, 3,50 m d'épaisseur de mur, avec sur quatre niveaux des salles de 14,50 m sur 8,60 m).

Les premières mottes féodales se sont rapidement modernisées, comme à Nogent-le-Rotrou (ci-dessus). La pierre a succédé au bois, trop facile à enflammer. La défense est alors constituée d'un fossé circulaire et d'une enceinte de pierre, à l'intérieur desquels se trouvent la basse-cour et les différents bâtiments utilitaires. La tour rectangulaire en pierre est protégée à sa base par la terre qui l'emmotte et sert à la fois de résidence, de protection et à la surveillance.

L'intervention des laïcs dans le domaine religieux : collégiales, monastères et cathédrales

Les seigneurs ne se contentent pas de répondre à leurs propres besoins. Ayant récupéré une partie de la puissance publique, ils se doivent d'intervenir dans le domaine religieux, s'inscrivant ainsi dans la politique de Constantin reprise par les souverains carolingiens.

Ils bénéficient d'une liberté totale dans la construction des

collégiales : le seigneur désireux de s'assurer
une protection divine crée en effet un collège
de chanoines (sur le modèle des chanoines des
cathédrales) destinés à prier pour lui et sa famille,
vivants et morts. La fondation, qui assure
la vie matérielle des religieux, suppose aussi la
construction d'un édifice de culte et de bâtiments
d'habitation, à proximité de la résidence
seigneuriale.

En revanche, s'agissant des monastères, les
seigneurs doivent se contenter d'une subvention
apportée à un projet. Foulque Nerra, comte d'Anjou
(972-1040), qui a fondé, construit et doté un
monastère de sa propre
initiative, doit supplier
l'abbé de Saint-Genou,
Odon, de le prendre sous
sa protection.

Dans la construction
des cathédrales,
l'intervention des laïcs
est liée à la position
du monarque vis-à-vis
de la papauté. En France,
le roi n'intervient pas
sur les territoires qu'il
contrôle. En revanche,
en Normandie, le duc
Richard (†996) participe
financièrement
à la reconstruction
de la cathédrale de Rouen, entreprise par son fils,
Robert, archevêque de 989 à 1037. Les Normands,
en Angleterre comme en Sicile, restent fidèles
à cet usage. Les empereurs du Saint Empire romain
germanique respectent la tradition carolingienne
d'une intervention directe dans la construction des
cathédrales pour leur donner un caractère impérial.
C'est ainsi que Conrad II (†1039) entreprend
la reconstruction de la cathédrale de Spire, dans
le Palatinat, pour en faire le tombeau de sa dynastie.
Les souverains nouvellement convertis au
catholicisme sont dans l'obligation, comme

La foi profonde qui
anime les médiévaux
prend une dimension
particulière chez le
seigneur, surtout s'il est
fortuné. Après guerres
et rapines, la volonté
de pénitence engage
nombre d'entre eux
dans des croisades et des
pèlerinages. Ils adhèrent
à la Paix de Dieu,
instaurée lors de
conciles régionaux,
qui vise à respecter
les églises et les civils.

D'autres seigneurs, plus
riches encore, à côté de
subventions données
au monastère, créent,
à proximité de leur
résidence, des
collégiales. Ils veulent
ainsi s'assurer une
meilleure place dans
l'au-delà. Elles ont été
fondées d'abord dans les
résidences rurales
(ci-dessus, à Coaner en
Espagne), puis dans les
villes près des palais.

Ci-contre, l'empereur Henri III et sa femme Agnès s'inclinent devant la Mère de Dieu qui trône au centre d'une représentation symbolique de la cathédrale de Spire, lieu de sépulture des empereurs. Dans cette enluminure des Évangiles qu'il a commandés entre 1043 et 1046, Henri III n'a pas voulu être figuré en maître du monde comme avaient pu le demander Otton II et Otton III, ses prédécesseurs, mais tel un souverain qui tient son pouvoir de Dieu. Ces Évangiles marquent l'apogée du *scriptorium* de l'abbaye d'Echternach.

au IVe siècle l'empereur Constantin, de lui donner les moyens matériels de la réussite. Étienne Ier (†1038), roi de Hongrie, s'inscrit dans cette politique lorsqu'il fonde la cathédrale d'Estergom.

Les religieux maîtres d'ouvrage

Les évêques et les abbés adhèrent sans hésitation au mouvement réformateur. Ils y ont été préparés par leur formation initiale due aux intellectuels carolingiens, leur culture et leur goût. L'importance des programmes architecturaux qu'ils lancent, accompagnés d'un décor monumental et de la création d'*ornamenta ecclesiae* (objets de culte), en est la conséquence. Chacun peut exprimer une individualité propre en fonction de son origine, de sa fonction, et de la « mémoire » du site.

L'évêque ou l'archevêque, habituellement élu par le collège des chanoines de la cathédrale, peut parfois être nommé par le suzerain, notamment dans l'Empire. S'il y perd en autonomie, il se trouve en revanche à la tête d'une seigneurie qui l'intègre dans la société civile. En France, il existe quelques évêques qui exercent des pouvoirs seigneuriaux, ce qui entraîne immanquablement des conflits avec le pouvoir civil. En Italie, l'évêque peut même être seigneur de la ville sans exercer de pouvoir sur le diocèse.

Cette indépendance est encore mieux perceptible chez les abbés. Généralement élus par les moines du monastère pour des raisons religieuses et non politiques, ils entretiennent des liens étroits avec ceux-ci et peuvent les convaincre de la nécessité de bâtir. Les opérations lourdes, longues et contraignantes requièrent en effet l'adhésion de toute la communauté religieuse, facteur capital dans le succès de nombre d'entreprises qui aboutissent à la réfection de l'édifice de culte, mais également à celle du monastère.

Cette enluminure figurant l'évêque Fulbert dans la cathédrale de Chartres, qu'il entreprit de reconstruire après l'incendie de 1020, se veut emblématique : à droite, l'évêque entouré de son clergé est figuré dans le sanctuaire, à l'est ; en face d'eux, les hommes adultes et enfants sont dans la nef ; dans la partie la plus occidentale, sous le clocher, les femmes. Au-delà de cette division, c'est le dialogue du pasteur avec l'assemblée des fidèles, l'*ecclesia*, qui est souligné.

L'architecture entre tradition et nouveautés

Les réalisations du milieu du Xe siècle à la fin du premier tiers du XIe siècle permettent de dégager des traits communs qui mettent en évidence un certain internationalisme. Elles sont l'heureuse synthèse entre l'héritage carolingien et des nouveautés : une nef rythmée par des travées, une sacralisation du chevet et un développement du massif occidental.

L'abbatiale bénédictine de Limbourg-sur-la-Haardt (Palatinat, ci-contre), fondée par l'empereur Conrad II vers 1025, se rattache à la tradition carolingienne et plus anciennement paléochrétienne : à l'intérieur, murs minces portés par des colonnes, élévation à deux niveaux, charpente, chevet rectangulaire, bras de transept avec absidiole ; à l'extérieur, masses rectangulaires à peine animées par des contreforts plats et arcature au sommet du mur.

À la demande des maîtres d'ouvrage, certains plans sont inspirés de ceux de l'époque carolingienne ou même parfois de l'Antiquité tardive, le plan basilical et le plan centré. À Ottmarsheim, le comte Rodolphe d'Altenbourg, frère de Wernher, évêque de Strasbourg, demande à son architecte de reprendre le plan et l'élévation de la chapelle palatine d'Aix-la-Chapelle. Guillaume, abbé de Saint-Bénigne à Dijon, imagine la juxtaposition d'une basilique et d'une rotonde, comme il a pu le voir à Saints-Pierre-et-Marcellin, à Rome.

Saint-Bénigne de Dijon (ci-dessous, reconstitution du XVIIIe siècle) a été l'un des monuments majeurs de l'an mille. L'édifice associe une basilique, une rotonde (à droite), l'élément le plus spectaculaire avec un diamètre intérieur de 18 mètres et trois niveaux de voûtes portées par des colonnes, et un chevet oriental (à gauche). Le maître d'ouvrage s'est inspiré d'un monument paléochrétien.

Les deux abbatiales de Saint-Michel d'Hildesheim (ci-contre) et de Saint-Germain-des-Prés à Paris (ci-dessous) sont presque contemporaines. Le parti de la nef était à l'origine identique : une élévation à deux niveaux et une charpente (la

De façon plus générale, le parti de la basilique charpentée, imaginé par les architectes de Constantin et conservé à l'époque carolingienne, est respecté : longs volumes rythmés par une double colonnade, espaces aérés, murs lisses, percés dans leur partie haute de fenêtres. On le trouve encore dans la Meuse, à Nivelles, ou dans l'Empire, à Limbourg-sur-la-Haardt ou Hildesheim. Tant à l'intérieur qu'à l'extérieur du sanctuaire, l'architecte ne cherche pas à fusionner les espaces et les masses mais à les additionner comme on le constate entre autres dans le transept. Sainte-Gertrude à Nivelles, Saint-Michel à Hildesheim, Notre-Dame de

voûte de Saint-Germain ne date que du XVIIe siècle). Mais, dans la première, il n'y a pas d'articulation : les grandes arcades retombent sur des supports maçonnés et des colonnes suivant un rythme a-b-b-a, le mur au-dessus est plat ; dans la seconde, des supports montés du sol jusqu'au sommet du mur créent la travée, qui rythme de façon régulière la nef.

Torcello, Saint-Pierre à Roda, Saint-Remi à Reims, Reichenau s'inscrivent dans un schéma très proche où domine à l'intérieur l'horizontalisme. Les grandes surfaces des murs latéraux du vaisseau central sont destinées à recevoir un décor peint, comme à Reichenau.

L'apparition de la travée

Le parti du plan basilical subit au cours de cette période deux modifications porteuses d'avenir : l'adjonction de tribunes au-dessus des bas-côtés, comme à Jumièges en Normandie, et la scansion par des supports verticaux qui montent du sol. Ainsi se trouve définie la travée rythmant par sa répétition le volume intérieur de l'église, comme à Saint-Germain-des-Prés à Paris, ou à Jumièges. La rupture avec l'Antiquité paléochrétienne est manifeste.

La « sanctuarisation » du chevet

L'évolution du chevet n'est pas nouvelle. Peu avant l'an 600, Grégoire Ier avait déjà modifié l'abside de Saint-Pierre de Rome, dirigée vers l'occident, en ménageant autour de la tombe de l'apôtre, surmontée de l'autel, un couloir annulaire pour en permettre l'accès aux pèlerins ; ce couloir annonce le déambulatoire. Ce parti s'est rapidement répandu au cours de l'époque carolingienne (Saint-Denis en France) et s'amplifie autour de l'an mille par l'adjonction de chapelles droites et rayonnantes dans l'église inférieure, communément appelée la crypte, et dans l'église supérieure, le sanctuaire. Il s'agissait pour les commanditaires de libérer la nef de ses multiples autels (plan de Saint-Gall) et de les reporter à l'est dans le chevet. Ils créent donc des volumes architecturés indépendants et voûtés, les chapelles, dans lesquelles étaient associés autels

L'élévation à deux niveaux d'Hildesheim et de Saint-Germain se trouve amplifiée par un troisième niveau à Notre-Dame de Jumièges (ci-dessous). Des tribunes largement ouvertes sur le vaisseau central sont introduites entre le premier niveau formé par les arcades et le dernier, percé de fenêtres hautes. Le principe de la travée est affirmé avec des piliers à colonnes engagées (piliers forts dont les colonnes montent, avant le couvrement d'ogives, jusqu'à la charpente) qui alternent avec des colonnes à tambour (piliers faibles qui portent les arcades) suivant un rythme a-b-a.

et reliques. Ainsi se trouve affirmée la séparation entre le chevet considérablement amplifié et sacralisé par les autels et la nef dont la finalité est par là même renouvelée, désormais destinée au chœur des religieux et aux fidèles. Ce plan à déambulatoire avec chapelles a été élaboré en France et appliqué dans les cathédrales de Rouen, Orléans, Chartres..., tout comme dans les abbatiales de Saint-Philibert de Tournus et de Saint-Aignan d'Orléans. Ailleurs, il ne s'impose que difficilement et ne triomphe finalement qu'à l'époque gothique.

Durant le premier tiers du XIᵉ siècle, d'autres formules plus simples sont imaginées : le plan

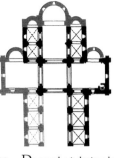

De gauche à droite : le chevet à abside simple de Spire ; le chevet échelonné de Bernay ; le chevet à déambulatoire sans chapelle de Jumièges ; les chevets à déambulatoire avec chapelles rayonnantes de Tournus et de Chartres (en noir).

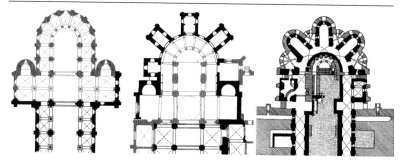

à déambulatoire sans chapelle comme à Jumièges, au Mont-Saint-Michel ou à Saint-Servais de Quedlinbourg ; le plan dit « à chevet échelonné » conçu par l'abbé Hugues pour l'abbatiale qu'il réalise à Cluny. Ce dernier reprend la disposition du chevet à triple abside de l'époque carolingienne en les échelonnant. Il se maintient à l'époque romane dans une grande partie de l'Europe (Bernay, Hildesheim, Saint-Pierre de Roda, Torcello).

L'abside unique, conforme au modèle constantinien, subsiste néanmoins, notamment dans l'Empire. Elle est surélevée au-dessus d'une crypte afin d'assurer une meilleure vision sur l'autel, comme à Strasbourg ; elle est parfois considérablement agrandie, comme à Acqui ou à Spire, pour sacraliser plus encore la partie orientale.

Le massif occidental

Les constructions carolingiennes montrent une grande diversité en ce qui concerne leur partie occidentale, dès lors qu'elle échappe à la tradition paléochrétienne. À Centula (Saint-Riquier), à la fin du VIIIᵉ siècle, une tour de plan circulaire, complétée latéralement par deux annexes, rivalise par son importance avec celle qui se trouve à l'est, créant ainsi un effet bipolaire. À Fulda, où une abside occidentale est aménagée pour abriter le corps de Boniface martyrisé, l'architecte s'est manifestement inspiré de Saint-Pierre de Rome. À Corvey, sur les bords de la Weser, l'abbatiale est agrandie à partir de 873 vers l'ouest par un massif rectangulaire occidental à deux étages qui subsiste encore : l'espace

Au XIᵉ siècle, les différents partis retenus pour le chevet ont été très variés. Dans une grande partie de l'Empire, le choix de l'abside simple a été maintenu suivant l'exemple de Spire projeté par Conrad II (peu après 1030). Peu auparavant, à Notre-Dame de Bernay, le plan à chevet échelonné a été adopté (vers 1025), alors qu'à Jumièges, Robert de Champart (vers 1035) disposa autour du sanctuaire un déambulatoire. À la même époque, le déambulatoire avec chapelles s'imposait aussi bien dans les abbayes, à Tournus (page de gauche, on voit nettement au premier plan le chevet avec ses cinq chapelles) sous l'abbé Bernier (1008/1009-1028), que dans les cathédrales, à Chartres avec Fulbert. Il s'agit de réunir autels et reliques dans la partie orientale de l'édifice de culte.

voûté du rez-de-chaussée est destiné à porter une vaste salle plafonnée ouvrant sur le vaisseau central. Bien d'autres témoignages mettent en évidence ce phénomène de bipolarisation de l'édifice de culte à l'époque carolingienne. Il apparaît ainsi à la cathédrale de Cologne comme l'ont montré les fouilles effectuées après la Seconde Guerre mondiale ou sur le plan manuscrit du début

du IXe siècle conservé à la bibliothèque du monastère de Saint-Gall en Suisse.

Les maîtres d'ouvrage et maîtres d'œuvre qui s'inscrivent dans cette tradition lui apportent des variantes : ainsi à Saint-Pierre de Jumièges, une tribune ouverte en face du vaisseau central est ajoutée à l'étage (fin du Xe siècle), que l'on retrouve à Notre-Dame de la même abbaye au cours du XIe siècle, et à Saint-Philibert de Tournus (1028-1054). À Saint-Germain-des-Prés à Paris, et à Notre-Dame de Fleury, il s'agit d'une « tour » destinée à abriter à l'étage un autel dans un espace largement ouvert sur la nef.

La nouvelle façade

Suivant la volonté des évêques, la partie occidentale est parfois transformée afin de faciliter l'accès des fidèles. En 976, l'archevêque Adalberon détruit l'ensemble occidental de la cathédrale de Reims pour allonger celle-ci et la pourvoir en façade d'un simple mur percé de portes comme à l'époque paléochrétienne (la façade plate) ; c'est encore le cas au XIe siècle pour les cathédrales de Beauvais et de Chartres.

Les cathédrales de Mâcon et de Bayeux présentent un parti différent, avec l'adjonction de deux tours

Dans l'Empire, la tradition carolingienne étant restée très forte, le massif occidental s'est développé aboutissant à un phénomène de bipolarisation. Saint-Michel d'Hildesheim (ci-dessus) en est l'expression la plus aboutie avec deux transepts, l'un et l'autre coiffés d'une tour rectangulaire et encadrés par deux tours, et avec deux absides, à l'est (à droite sur la photo) et à l'ouest, cette dernière étant enveloppée d'un déambulatoire.

La bipolarisation des édifices dans l'Empire ne laisse à l'entrée qu'une position latérale. En France, le choix du développement de façade favorise un accès plus aisé et plus direct des fidèles dans la nef. Beauvais (page de gauche) et Mâcon (ci-dessous, récemment restitué) s'opposent par leur parti. Dans la première, il s'agit d'une façade plate percée dans sa partie inférieure d'un portail et, au-dessus, d'une grande baie. À Mâcon, il s'agit d'un bloc-façade percé au centre d'un portail, surmonté de tours-clochers : la façade harmonique. C'est ce dernier parti qui s'est répandu par la suite dans l'ensemble de l'Europe.

destinées à abriter les cloches : la façade harmonique. Ainsi s'offre aux fidèles un front occidental majestueux, sans décor, destiné à les accueillir en même temps que la sonnerie des cloches rythme la vie de la cité.

Le triomphe de la pierre

Cette évolution de la construction va aboutir à un conflit entre professionnels. Au IXe siècle, le bois s'est imposé face à la pierre, comme en témoigne sous Charlemagne la construction du pont traversant le Rhin. La plupart des mottes seigneuriales allient la terre et le bois. Mais dès l'an mille, les seigneurs les plus fortunés, à l'imitation de ce qui se fait dans le domaine religieux, lui préfèrent la pierre.

La difficulté d'approvisionnement oblige à récupérer ce matériau sur des monuments existants,

L'exigence des maîtres d'ouvrage de construire en ayant recours à la pierre taillée a fait l'admiration des contemporains, chroniqueurs comme enlumineurs. Ces derniers ont représenté la technique de taille et de mise en œuvre, comme dans ce manuscrit du Xe siècle : transport par charroi, port de la pierre à bras, mise en œuvre et parfois retaille sur le chantier, utilisation du fil à plomb.

sur des édifices antiques à Beauvais, et même des sarcophages à Saint-Aignan d'Orléans. Mais ailleurs il faut se contenter le plus souvent d'une maçonnerie en blocage, une pierre cassée au marteau et noyée dans un bain de mortier. On a cru pouvoir y reconnaître un style répandu par des maçons venus de Lombardie. Il s'agit d'un pis-aller et un grand nombre de maîtres d'ouvrage exigent le retour à un appareil de pierres taillées sur toutes leurs faces et liées entre elles au mortier mince. Cette exigence s'impose en tout cas pour la partie la plus noble de l'édifice, le sanctuaire, comme à Saint-Philibert de Tournus. Il faut donc, comme le fait l'évêque de Cambrai, se mettre à la recherche de carrières dont on a perdu la trace. L'Île-de-France, riche d'un sous-sol calcaire exceptionnel, offre les premiers exemples de réalisations spectaculaires pour l'époque. La présence de marques de tâcherons à Saint-Germain-des-Prés,

à Paris, assure du recours à des professionnels de haut niveau, payés à la tâche.

L'organisation verticale de la construction de pierre s'est dès lors mise en place : extraction dans des carrières, transport par voie terrestre ou fluviale (comme on le sait pour Notre-Dame de Fleury sur la Loire), taille de la pierre, mise en œuvre par des maçons expérimentés. La différence qualitative que l'on a souvent notée dans des réalisations contemporaines tient à la défaillance d'un des maillons de la chaîne ou à l'insuffisance des moyens financiers.

Le décor polychrome

Autant l'architecture témoigne d'une volonté très forte de surmonter les défis, autant la peinture monumentale ou le décor de l'autel semblent décevants, peut-être du fait qu'une grande partie a disparu. L'analyse du décor peint se heurte en outre à la difficulté de dater certains ensembles comme à Reichenau. Cette défaillance s'explique par la permanence de la tradition paléochrétienne comme on le voit au baptistère de Novare ou à Saint-Ouen

Les constructions du premier tiers du XIe siècle mettent en évidence des techniques et une maîtrise du travail de la pierre très différentes. Certains édifices sont réalisés avec de la pierre cassée au marteau et d'autres sont appareillés. À Notre-Dame d'Étampes (page de gauche), l'architecte a construit pour Robert le Pieux une crypte d'une technique rudimentaire : du point de vue de la structure, en assemblant des fûts de colonnes en délit (les pierres de la colonne sont posées dans un sens différent de celui du lit de carrière), ce qui rend cette structure faible ; du point de vue du décor, en les surmontant de chapiteaux à peine dégrossis. À l'inverse, à Saint-Remi de Reims, les piliers de la nef étaient si habilement taillés que l'abbé Thierry les démonta et les remonta en 1039 dans la nef de la nouvelle abbatiale (ci-contre). Les pierres sont taillées en triangle dont l'un des côtés est arrondi ; assemblées et superposées, elles constituent des piliers très résistants.

d'Aoste. L'identification des peintres, leur origine et leur formation nous échappent le plus souvent. On a récemment insisté sur l'existence de carnets de dessins qui circulaient et pouvaient fournir des modèles, mais ils ont dû être utilisés comme support de l'iconographie plutôt que comme modèle stylistique.

On a aussi évoqué des artistes itinérants appelés sur les chantiers importants. Les témoignages écrits sont suffisamment parlants pour admettre une certaine généralisation de cette hypothèse, adéquate avec les rapports étroits que les abbayes, organisées en réseau, entretiennent entre elles. À Fleury, l'abbé Gauzlin appelle deux peintres, l'Italien Nivard pour le chœur de Notre-Dame et le moine Odolric, venu de Saint-Julien de Tours, pour peindre dans l'église Saint-Pierre les scènes de l'Apocalypse. Chacun d'entre eux, avec son équipe de collaborateurs, se voit confier une tâche précise ; c'est ainsi que s'expliquent, à une même date et dans un même ensemble, des différences stylistiques si fréquentes au Moyen Âge.

Le relief en pierre et en métal

Il est tout aussi difficile de juger du domaine de la sculpture – bas-relief, haut-relief ou ronde-bosse – car, là aussi, peu d'œuvres nous sont parvenues. Certains domaines sont apparemment privilégiés comme le stuc, la fonte et la technique du repoussé du métal précieux ; s'y ajoutent la sculpture des chapiteaux, qui va se développer de façon exceptionnelle à l'époque suivante, et le recours au marbre. Le stuc s'inscrit dans une tradition ancienne renouvelée au cours de cette période, peut-être en raison de la facilité d'exécution : à Saint-Remi de Reims, il est utilisé pour la réalisation des chapiteaux.

C'est en effet dans le domaine de la sculpture du chapiteau que l'an mille manifeste une originalité

C'est sans doute l'abbé Witigowo (985-997) qui a pris la décision de peindre le cycle de l'église Saint-Georges d'Oberzell à la Reichenau et en a composé le programme iconographique, l'un des plus remarquables de l'époque. Malgré les dégradations, on y reconnaît les scènes des miracles du Christ : cinq guérisons, trois résurrections (en bas, à gauche, celle de la fille de Jaïre) et l'apaisement de la tempête. Le peintre les a traitées avec un sens de la narration mise en évidence par le rythme de la composition. Les motifs antiquisants – comme les grecques d'Oberzell autour de la scène peinte – sont inspirés de modèles dessinés qui circulaient comme dans cet exceptionnel carnet conservé à la Bibliothèque nationale de France (ci-dessus).

qui va se maintenir jusqu'à l'époque gothique.
À la demande des commanditaires, les sculpteurs
s'ingénient à tailler des images dans la pierre. Ils ne
sont pas toujours très adroits, mais on réserve aux
meilleurs d'entre eux les images les plus nobles
comme le Christ bénissant de Saint-Germain-des-
Prés à Paris. Unbertus, qui signe l'un des chapiteaux
de la tour à Notre-Dame de Fleury, est plus habile
dans l'exécution des feuillages que dans les scènes
figurées. Les formations des sculpteurs étaient sans
aucun doute diverses. Certains chapiteaux évoquent
la technique du repoussé, d'autres témoignent d'une
familiarité avec l'art graphique. D'autres œuvres,
tels les marbres remontés aux portails de Saint-
Genis des Fontaines (1019-1020) et Saint-André
de Sorrède, nous assurent d'une connaissance
approfondie du marbre, de la technique de taille
et des œuvres paléochrétiennes.

Le recours au métal précieux, or ou argent,
s'inscrit également dans la tradition, qui a conservé
la faveur des souverains carolingiens, et à laquelle
les empereurs ne peuvent déroger. L'autel d'or dit
« de Bâle » a été commandé par l'empereur Henri II

Pendant la période
carolingienne, les
motifs sculptés étaient
en stuc. Dans les
premières années du
XIe siècle, la sculpture
sur pierre et sur marbre
est peu à peu remise
à l'honneur,
spécialement pour
des œuvres destinées
à l'intérieur d'édifices
de culte. Dans le Nord,
c'est la pierre qui
est privilégiée.
L'iconographie et
la façon de travailler
le relief sont inspirées
d'œuvres de métal.
Dans le Midi,
où le marbre existe
en grande quantité, il
redevient le matériau
de prédilection des
sculpteurs qu'il était
à l'époque antique
et paléochrétienne.

TORFCE WILELMVSGRADEIFB
CENOBIICVEVOCANTFONTANA

Le linteau de Saint-Genis des Fontaines (Pyrénées-Orientales, ci-contre) était à l'origine destiné à prendre place à l'intérieur de l'église sur la face occidentale de l'autel. Les palmettes, qui encadrent la scène, et le recours au marbre révèlent une inspiration antique. La taille en cuvette permet de créer un relief malgré le peu d'épaisseur de la dalle.

Ce chapiteau en pierre de Saint-Germain-des-Prés qui figure le Christ bénissant et présentant l'hostie était situé dans l'abbatiale en face de l'accès, alors au sud, des fidèles. Il affirmait par son iconographie la présence divine. Le Christ est l'œuvre d'un grand maître alors que les personnages qui l'encadrent sont de facture beaucoup plus maladroite.

(973-1024) qui s'est fait représenter avec sa femme aux pieds du Christ. L'ambon (chaire destinée à la lecture de l'Épître et de l'Évangile) d'Aix-la-Chapelle relève de la même volonté impériale d'enrichissement du décor.

La tradition antique et paléochrétienne de la fonte a été également maintenue par les Carolingiens. Elle est renouvelée autour de l'an mille. L'évêque Bernward d'Hildesheim se lance dans des opérations exceptionnelles par la dimension des fontes : vantaux de portes et pied de croix (hauteur de 3,79 m) inspiré de la colonne Trajane à Rome, mais on ignore leur lieu de fabrication, tout comme l'origine des sculpteurs et des fondeurs.

Chef-d'œuvre d'orfèvrerie, la statue de sainte Foy à Conques fut créée pour abriter la relique du crâne de la sainte. Elle a fait l'objet en 1954 d'une étude approfondie à la suite d'un démontage complet qui permet de mieux connaître les modifications et adjonctions qui lui ont donné son aspect actuel. La tête est un masque d'or santique, peut-être du Ve siècle. La statue taillée dans le bois et le premier revêtement d'or datent de la fin du Xe siècle, et peu après, elle a été parée de certains éléments d'or : la couronne, les boucles d'oreilles à pendeloques et le trône. Sur la poitrine, une monstrance quadrilobée a été ajoutée au XIVe siècle pour permettre de voir la relique placée dans une logette au dos. Les boules de cristal pourraient appartenir à l'Antiquité tardive. Les avant-bras et les mains d'argent ont été réalisés au XVIe siècle. Les chaussures sont antérieures au XVIIe siècle. Au cours des siècles, de nombreux autres éléments précieux ont été intégrés à la statue, façonnant ainsi une œuvre que Bernard, qui dirigeait l'école épiscopale d'Angers, désignait déjà au début du XIe siècle comme une « idole ».

Parmi les œuvres en fonte de bronze de l'an mille, les vantaux de la cathédrale d'Hildesheim impressionnent par leur beauté et leur dimension : 4,72 mètres de hauteur, et 1,15 mètre de largeur pour chaque vantail (ci-contre). C'est Bernward, évêque d'Hildesheim (†1022) et précepteur d'Otton III, qui les fait fondre d'un seul jet en 1015. Il conduisait alors dans son diocèse une activité artistique sans précédent. Son biographe nous assure qu'il travaillait lui-même de ses propres mains. Il voulait rivaliser avec la production des artisans de Constantinople tout en renouvelant le style : compositions claires et aérées où se mêlent bas-relief, haut-relief et même ronde-bosse. Les seize reliefs sculptés de ces vantaux racontent des scènes de l'Ancien et du Nouveau Testament. Page de gauche, on peut voir, en haut, la présentation de Jésus au Temple, en dessous, les trois Rois mages face à la Vierge portant l'Enfant. La tête de lion est un motif hérité de l'Antiquité romaine et des réalisations carolingiennes.

Le livre enluminé

Enluminure des manuscrits et ivoire des reliures s'inscrivent également dans la tradition carolingienne ; la Cour finançait alors artistes et ateliers. Avec l'atomisation du pouvoir central, abbayes et cathédrales prennent en charge cette production avec la création de *scriptoria* au sein desquels les livres sacrés sont copiés et enluminés par des clercs capables de comprendre et de transcrire les textes en langue latine. Mais ce changement ne provoque pas de rupture avec la tradition, le style demeurant lié à celui de l'époque précédente, parfois même avec celui de l'époque paléochrétienne.

Les laïcs, souverains ou grands seigneurs, s'adressent à un *scriptorium* dès lors que la commande impose une certaine qualité. Certains *scriptoria* ont été identifiés avec vraisemblance :

L'ivoire, qu'il vienne d'Asie ou d'Afrique, a toujours été un matériau rare et donc très cher. À l'époque carolingienne, il était réservé au souverain. Durant l'an mille, d'anciennes plaques sculptées ont été rabotées pour être réutilisées. À l'inverse, la plaque de saint Thomas (ci-contre) et celle de Moïse (24 x 10 cm) qui formaient diptyque sont d'une épaisseur exceptionnelle ; leur auteur, le « Maître d'Echternach », se singularise par l'audace de la composition et le mouvement des personnages.

Le renouveau de l'enluminure est lié à la recherche de modèles puisés dans les manuscrits antiques et carolingiens. Le *Beatus* de Saint-Sever (à droite, en haut) est unique en France. Commandé par l'abbé Grégoire Muntaner (1028-1072) à Étienne Garsia, il s'inspire à la fois de l'iconographie espagnole traditionnelle et des manuscrits antiques pour les fonds colorés alternés et le style des personnages. Dans le *Pontifical* de l'archevêque Robert (en bas) réalisé à la fin du Xᵉ siècle à l'abbaye de Winchester, l'enlumineur s'est inspiré du sacramentaire carolingien de Drogon, l'archevêque de Reims.

Bamberg, Liège, Reichenau,
Trèves ; d'autres restent plus
hypothétiques. La rareté
et le coût de cette production
favorisent un certain
cérémonial : le
commanditaire est souvent
figuré, offrant son manuscrit
à la Vierge ou à un saint.
Il est parfois représenté avec
les auteurs (*Codex Egberti*).
Il n'est pas rare que
les enlumineurs se soient
également représentés
au travail. L'iconographie
demeure traditionnelle,
avec une insistance sur
la figuration politique
du souverain. Quant à la
diversité stylistique, elle
s'explique par les origines
des modèles conservés dans
les différentes bibliothèques.
Les peintres s'en inspirent
sans cacher leurs sources :
carolingienne,
paléochrétienne ou
byzantine. Le petit nombre
de personnes susceptibles
de répondre à une demande
importante explique
la concentration des tâches
sur un seul intervenant qui
copiait, dessinait, peignait,
taillait l'ivoire et repoussait
le métal, tels le « Maître
du *Registrum Gregorii* »,
au service de l'archevêque de
Trèves, Egbert, ou les auteurs
de certains manuscrits
de Winchester, de Saint-
Germain-des-Prés à Paris,
ou de Saint-Omer.

es hommes de l'an mille, qui ont su préserver un héritage exceptionnel, ont laissé place à une génération nouvelle, mieux adaptée à la réalité de la fin du XIe siècle et du début du XIIe. Maîtres d'ouvrage, maîtres d'œuvre, artistes et professionnels ont conçu et réalisé des œuvres qui relèvent d'une esthétique en rupture avec celle de Constantin : l'art roman.

CHAPITRE 2

L'EUROPE ROMANE ET SES MAÎTRES D'OUVRAGE

Comme à l'époque constantinienne, certains maîtres d'ouvrage se sont fait représenter avec la maquette de l'édifice qu'ils faisaient construire. Ainsi l'abbé Didier (1058-1087), célèbre pour la réalisation du Mont-Cassin, est peint à Sant' Angelo in Formis l'église en main (page de gauche). Il avait veillé avec un soin jaloux au moindre détail de sa construction. Plus tard, l'évêque de Durham apporte lui aussi un soin tout particulier à son église (ci-contre).

Légende :
Saint Empire romain germanique — Territoires musulmans — Empire byzantin

L'Europe du XIIe siècle

La transformation de la société ne s'est pas réalisée de façon brutale, elle a suivi des rythmes spécifiques suivant les régions, suivant les classes sociales et ne s'est stabilisée qu'au XIIe siècle. Dans ce nouveau panorama européen, politique et religion se retrouvent profondément transformées.

Dans le domaine politique, la tendance à l'atomisation se renverse brutalement et la carte de l'Europe est considérablement modifiée. Multipliées durant l'époque précédente, les seigneuries laissent place à des ensembles territoriaux, des royaumes dans lesquels se développe une volonté centralisatrice. La France des Capétiens en est l'exemple le plus ancien et le mieux connu. L'Angleterre s'en est inspirée, à la suite de sa conquête par le duc de Normandie

L'Europe du XIIe siècle s'est amplifiée au nord comme à l'est par la conquête et la conversion de peuples jusque-là païens au profit de royaumes chrétiens. La Méditerranée s'est donc trouvée marginalisée à l'issue de la première croisade (1075). Dans le nord de l'Europe, un commerce intense et une activité sans pareils se sont développés. Venise a saisi le parti qu'elle pouvait en tirer en s'implantant dans l'Orient latin et en développant des échanges avec Constantinople.

Guillaume le Conquérant en 1066. Si l'Italie et le Saint Empire romain germanique échappent à cette tendance, l'Espagne connaît un double destin : elle doit conquérir les terres musulmanes et créer un pouvoir central. Cette volonté de conquête, remarquable en Angleterre et en Espagne, prend une autre dimension avec les premières croisades : pour la première fois depuis l'Antiquité romaine, l'Europe cherche à échapper à ses frontières naturelles et trouve un prétexte pour se lancer dans l'aventure orientale.

Dans le domaine religieux, c'est la volonté de réforme qui a transformé l'Église catholique. L'élection, en 1073, de Grégoire VII sur le trône pontifical marque l'engagement définitif de l'Église dans cette voie. Elle en sort renouvelée et se tourne désormais vers la modernité comme en témoigne le concile de Latran de 1123, premier concile œcuménique depuis celui de Constantinople en 869.

Les conséquences en sont multiples, parmi lesquelles le retour à la vie monastique des chanoines, qui ont eu tendance à montrer une certaine indépendance. C'est alors aussi que se créent de nouveaux ordres religieux – Camaldules, Vallombrosiens, Grandmontains, Chartreux, Cisterciens, Fontevristes, Prémontrés – qui vont s'efforcer d'échapper au monde, de faire pénitence et de se consacrer à la prière.

Cette société nouvelle, dont les ambitions se sont élargies, produit des maîtres d'ouvrage, laïcs et religieux, capables d'établir des programmes clairs et précis, et qui considèrent que l'activité créatrice, architecturale en particulier, est un élément fondamental de leur action.

Le début du XIIe siècle marque une évolution dans la signification de l'image : les personnages restent représentés avec la maquette d'un édifice, mais ils n'en sont plus toujours les maîtres d'ouvrage. Ci-dessous, Étienne Harding, abbé de Cîteaux (1109-1133), et Henri Ier, abbé de Saint-Vaast d'Arras, présentent tous deux à la Vierge la maquette de leur monastère pour le mettre sous sa protection.

Les empereurs dans la continuité de la tradition

Les empereurs du Saint Empire romain germanique, soucieux de conserver leur pouvoir politico-religieux, montrent leur attachement au schéma carolingien. La nomination par l'empereur aux bénéfices ecclésiastiques entraîne des programmes proches de la conception impériale. La cathédrale de Spire, édifice emblématique par excellence, est, dès le lendemain de sa consécration en 1061, l'objet de modifications, poursuivies jusqu'en 1160 avec le voûtement du vaisseau central. Les raisons de ces transformations sont d'ordre politique car la cathédrale est destinée à abriter les sépultures des empereurs. Cet attachement à la tradition carolingienne se retrouve sur bien d'autres points, notamment l'abside occidentale et le refus de la façade. L'abbaye de Maria-Laach, fondation d'Henri II, seigneur de Laach (†1095), s'inscrit dans le même schéma, avec son parti bipolaire.

Le comte palatin Henri II, seigneur de Laach, fonda avant 1095, sur les bords d'un lac, un prieuré dédié à la Vierge, Maria-Laach (à droite). Il fut tout d'abord confié à l'abbaye clunisienne d'Affligem en Brabant. À la mort d'Henri II, les religieux reprirent leur indépendance et se rattachèrent en 1127 à l'abbaye d'Hirschauen, qui, à la différence de Cluny, n'était pas exempte. Ainsi les seigneurs germaniques gardaient leur pouvoir sur le prieuré. À Maria-Laach, les deux absides, les bras de transept, les tours et l'atrium relèvent de la tradition carolingienne.

Les rois d'Angleterre et la construction d'un royaume

La conquête de l'Angleterre par Guillaume le Conquérant prend très rapidement l'allure d'une croisade. La victoire de Hastings en 1066 n'a pas suffi à établir son pouvoir et il doit prendre des mesures radicales au lendemain de la révolte de 1069-1070 : exclusion des Saxons au profit des Normands, renouvellement des religieux pour imposer la liturgie romaine et par voie de conséquence le « nouveau style », création d'une nouvelle cartographie religieuse par le transfert des chefs-lieux de diocèse

dans les villes les plus peuplées, enfin division des diocèses trop vastes.

Dans le domaine monastique, le succès est exceptionnel. On passe de 61 monastères en 1066 à 330, dont 75 de femmes, en 1215. Dans le même temps, l'équipement paroissial est développé de façon remarquable.

Les religieux, nommés par le roi et souvent d'origine normande, se lancent dans des entreprises audacieuses : la construction ou la reconstruction des édifices de culte, en s'efforçant de répondre aux exigences grégoriennes. On connaît ainsi Lanfranc à

Cette plaque de cuivre émaillé et doré (à gauche) a été donnée par un moine (représenté prosterné au pied de la croix) qui a souhaité garder l'anonymat. L'inscription souligne le rôle, dans l'Église, de chacun des personnages représentés : « La Vierge enfante, l'Église croit, le Christ meurt, la Synagogue reste fidèle à sa croyance, le disciple obéit. »

Canterbury, Paul de Caen à Saint-Albans, Gondulf
à Rochester, Wauquelin à Winchester, Roger
à Salisbury… En un demi-siècle, le panorama
architectural de l'Angleterre se modifie
considérablement : le bois dominait jusqu'alors
et les édifices étaient généralement de dimensions
médiocres ; la pierre prend à partir de cette fin du
XIᵉ siècle la première place pour permettre d'atteindre
des dimensions gigantesques, ainsi Winchester
avec ses 169 mètres de long, Ely avec sa nef de douze
travées, et Norwich avec ses seize travées.

La cathédrale d'Ely
était à l'origine un
monastère. Dès son
arrivée (1081), l'abbé
français Siméon lança
la construction d'une
abbatiale de type
normand avec
l'élévation à trois
niveaux, le passage
ménagé dans le mur
au troisième niveau
et la charpente.

Le retour à la tradition saxonne

La nécessaire adaptation des conquérants aux traditions locales les amène à renoncer, vers 1100, aux déambulatoires avec chapelles rayonnantes, courants sur le continent et d'abord adoptés dans les cathédrales (Winchester) comme dans les abbatiales (Gloucester), au profit de chevets plats avec un déambulatoire carré, caractéristiques de l'architecture saxonne.

L'un des traits originaux de l'Angleterre est l'apparition et l'expansion des salles capitulaires de plan centré, notamment dans les cathédrales où le clergé vit en communauté monastique ; Worcester (1100-1145) en est sans doute le plus ancien exemple. C'est également au cours de cette période que l'on assiste au développement spectaculaire des cryptes dont le plus ancien témoignage serait celle de Canterbury due à Lanfranc.

À la différence du continent, la façade occidentale n'a pas fait l'objet de recherches particulières, et le clergé se contente souvent d'un accès latéral. Enfin, et bien que Guillaume le Conquérant se soit efforcé d'imposer l'emploi de la pierre locale lors de la construction de l'abbaye de Battle, les Normands sont restés attachés à la pierre de Caen. Des millions de tonnes ont ainsi traversé la Manche pour alimenter les nombreux chantiers.

Les rois de Sicile et l'esthétique constantinienne

En Méditerranée, les Normands n'ont pas agi autrement pour créer leur royaume de Sicile. Roger, fils de Tancrède de Hauteville, a mené à bien la conquête de la Sicile musulmane (1060-1072) en s'appuyant sur le clergé. Son fils Roger II (†1154) se fait couronner à Noël 1130 avec l'accord du pape, transférant la capitale à Palerme et décidant

L'architecture anglaise se singularise par les dimensions au sol de l'édifice, la charpente sur le vaisseau central et le traitement de la façade. Gondulf, évêque de Rochester (1077-1108), s'était acquis la réputation d'un constructeur très actif. Il renouvela la cathédrale Saint-André, que compléta son successeur Ernulf (1114-1124). La façade est plus tardive encore (v. 1160, ci-dessous). Le portail

central, surmonté d'une immense baie bien postérieure, est encadré de deux tourelles. Deux fausses portes latérales et deux tours carrées isolées de la nef complètent ce dispositif originel destiné à allonger le front occidental et à le scander de puissantes verticales.

Guillaume II, roi de Sicile, décida à sa majorité en 1172 d'édifier sur ses propres fonds la cathédrale, le monastère et le palais royal de Monreale, près de Palerme ; le tout fut achevé en 1185, record qui s'explique par les importants moyens mis en œuvre. Le chevet de la cathédrale (ci-contre) est décoré d'arcs brisés entrecroisés où se mêlent incrustations de calcaire brun, de lave, de disques polychromes et colonnettes.

d'aménager dans la cathédrale le mausolée familial à l'origine prévu à Cefalù.

Les Hauteville se montrent particulièrement doués dans le domaine de l'architecture aussi bien défensive, avec des enceintes urbaines et des châteaux, que religieuse avec les cathédrales et les couvents de montagne. L'activité de l'État s'étend à tous les domaines – chantiers, armements, salines – avec pour objectif de créer un royaume riche et puissant. Les partis architecturaux et les programmes iconographiques mettent en évidence la volonté de s'inscrire dans la tradition occidentale, constantinienne, en opposition à celle de Byzance. La référence paléochrétienne n'est pas le fait du hasard mais bien un choix délibéré, comme le montre l'emploi de la mosaïque pour les parties les plus nobles de l'édifice de culte, où se mêlent inscriptions en latin et en grec.

La chapelle palatine de Palerme, placée sous le vocable de saint Pierre, est l'expression la plus aboutie de cette recherche de synthèse religieuse et politique du royaume (à partir de 1130). À Monreale, l'ensemble conçu par Guillaume II à partir de 1172 associe une cathédrale, un palais et un monastère ; il s'agit pour le jeune souverain, au lendemain de son émancipation, de rivaliser avec son grand-père Roger. Le caractère théocratique est manifeste dans l'iconographie mais aussi dans l'emploi de la mosaïque sur 6 000 mètres carrés et de portes de bronze dues à Bonanno de Pise (1186) et Barisano de Trani (1179).

Le cloître de Monreale (ci-dessus) destiné aux bénédictins est l'un des plus somptueux de l'époque romane avec ses deux cent huit colonnettes aux formes les plus diverses. Les chapiteaux témoignent de la présence d'une équipe d'artistes venus de tous les horizons, dont l'un se disait « marbrier ». Sur l'un des chapiteaux, le roi Guillaume II s'est fait représenter offrant la maquette de l'église à la Vierge tenant l'Enfant. De même, à l'intérieur de la cathédrale, on le retrouve figuré dans cette attitude sur l'arc triomphal en mosaïque (à gauche).

La « renaissance paléochrétienne » en Italie

Les prélats conçoivent une stratégie différente, qui n'obéit pas à une conception politique « nationale », telle celle des rois et des empereurs, mais s'adapte à la situation particulière du site dont ils ont la responsabilité. Construction et reconstruction sont la conséquence d'un besoin : besoin liturgique, besoin exprimé par la communauté religieuse, besoin d'un dialogue renouvelé avec les fidèles.

L'abbé Didier du Mont-Cassin, dans le Latium, se lance en 1066 dans la reconstruction de son abbaye. L'opération est conduite avec une rapidité foudroyante – cinq ans – grâce à une volonté de fer et à des moyens financiers exceptionnels. Didier a établi son projet en s'inspirant des édifices paléochrétiens – l'atrium et l'élévation de l'abbatiale – et carolingiens – le plan du chevet avec ses trois absides. Pour souligner mieux encore ce retour aux sources, il a récupéré à Rome des marbres antiques, fait appel à des mosaïstes de Constantinople et fait exécuter les portes de bronze dans cette même ville. La réalisation des *ornamenta ecclesiae* s'inscrit dans l'esprit de la commande de Constantin pour Saint-Pierre de Rome.

Ce choix « paléochrétien » frappe l'imagination des contemporains et suscite l'émulation générale des religieux. La renaissance paléochrétienne de Rome dans le premier tiers du XIIe siècle en est la conséquence immédiate. Saint-Clément en témoigne pour l'architecture, comme pour la totalité du décor intérieur : mosaïque pariétale, sol de marbre, sculpture. Dans le reste de l'Italie, la basilique charpentée élaborée au IVe siècle est généralement conservée, moins par référence passéiste que parce qu'elle paraît le mieux adaptée à sa finalité. L'exemple le plus abouti en est San Miniato de Florence.

Le développement du déambulatoire avec chapelles

À la même époque, les commanditaires français témoignent d'une sensibilité très différente. Ils diffusent largement le plan du

Didier, abbé du Mont-Cassin, reconstruisit l'ancien monastère de saint Benoît (en bas, à gauche, la reconstitution). Lors de sa consécration, le 1er octobre 1071, il était désigné comme « une maison belle par sa forme, ses matériaux, ses objets, son art ». L'abbé avait renoué avec la tradition constantinienne par le parti architectural et le décor somptueux en partie réalisé par des ouvriers byzantins. L'influence du Mont-Cassin fut déterminante sur d'autres commanditaires : Saint-Clément à Rome, San Miniato, l'abbatiale de Florence (ci-contre et page de gauche), en témoignent. Lors de sa reconstruction (seconde moitié du XIIe siècle), San Miniato a été conçue comme une basilique charpentée, avec ses murs minces et son éclairage abondant, mais elle se singularise par l'adjonction d'arcs diaphragmes (transversaux) qui retombent sur des supports définissant ainsi la travée, et par le décor de marbre plaqué sur les murs. Son chef-d'œuvre est sans conteste sa façade, dont on a cru qu'elle appartenait à la Renaissance. Elle est rythmée dans sa partie inférieure par des arcades et recouverte d'un placage de marbre qui crée des effets inédits jusqu'alors.

déambulatoire avec chapelles conçu à l'époque précédente en associant autel majeur, autels secondaires et reliques. Ils réunissent ainsi dans le chevet les éléments de culte pour libérer la nef des autels qui s'y trouvaient jusqu'alors dispersés. Saint-Sernin de Toulouse, Notre-Dame de Fleury, Conques, Saint-Martin de Tours, Saint-Martial de Limoges ont été ainsi conçues pour répondre aux besoins liturgiques des religieux et à la piété des fidèles.

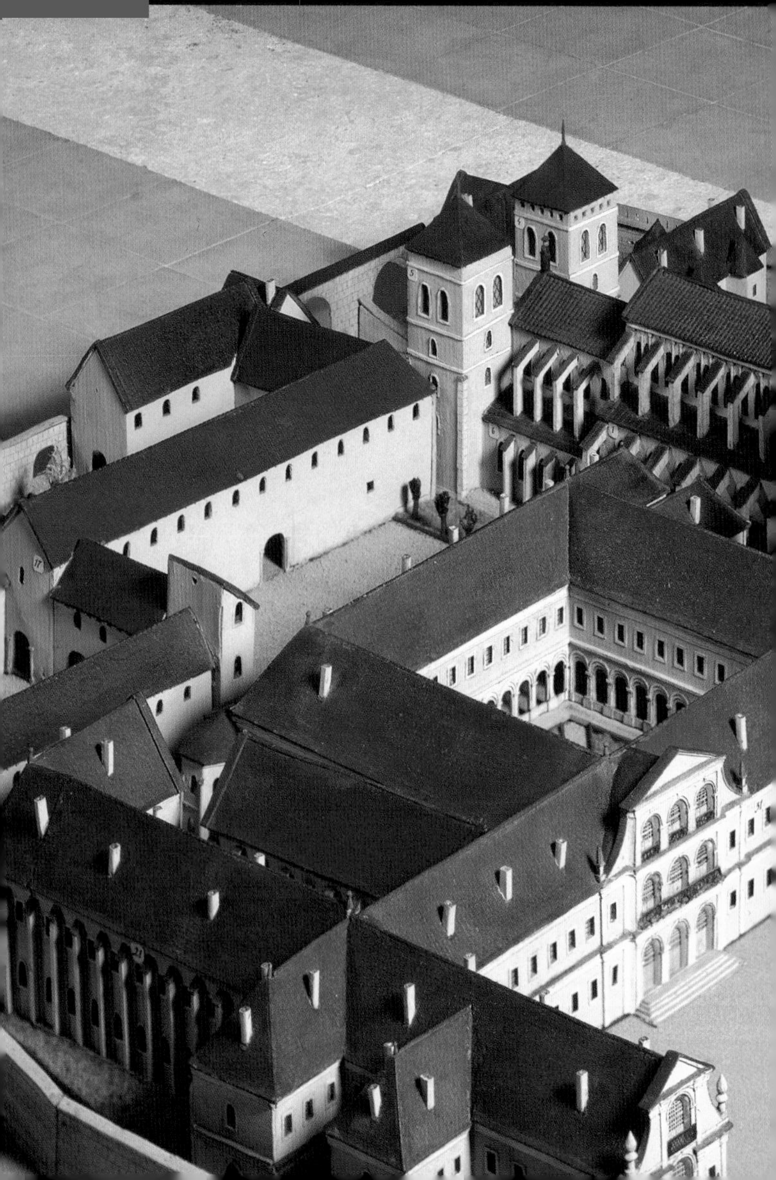

S'inspirant manifestement de l'abbé Didier, l'abbé Hugues de Cluny (1049-1109) décide de reconstruire son abbaye. Il commence par les bâtiments monastiques et entreprend dès 1088 l'abbatiale. Elle est achevée en 1130 avec ses 187 mètres de long destinés à accueillir deux cent cinquante moines. Hugues choisit pour le chevet un déambulatoire avec cinq chapelles rayonnantes, fait exécuter un double transept et une avant-nef. Il n'hésite pas à lancer sur le vaisseau central une voûte en plein cintre (10,85 m de largeur et 25 m de haut) et adopte pour son élévation trois niveaux avec un éclairage direct. Les masses extérieures se singularisent par l'ampleur du chevet et par le nombre des tours. Cluny devient aussitôt la référence internationale. Il n'en subsiste que quelques restes, les deux tours occidentales et le bras sud (le clocher de l'Eau bénite) du grand transept. En effet, après la Révolution française, Cluny est détruite, les pierres étant réemployées dans nombre de bâtiments de la région.

Ci-contre, la maquette montre à la fois l'abbatiale reconstituée telle que l'avait conçue Hugues de Cluny et les bâtiments monastiques reconstruits au XVIIIe siècle.

L'évêque de Saint-Jacques de Compostelle, Diego Peláez, reprend ce plan à déambulatoire avec chapelles vers 1075, lors de la reconstruction de sa cathédrale. Son adoption par l'abbé de Cluny à cette même époque en assure le triomphe : le chevet réunit alors dans un espace unique l'autel majeur et les reliques privilégiées dans le sanctuaire des saints Saturnin, Benoît, Foy, Martin, Martial et Jacques ; et les autels secondaires avec leurs propres reliques dans des chapelles.

La systématisation de la façade occidentale

Quant au massif occidental qui a créé un effet de bipolarité, il fait l'objet d'une réflexion nouvelle : la façade occidentale est définie comme l'accès des fidèles dans une église définitivement orientée. Dans l'Empire, l'attachement aux formules carolingiennes se maintient parfois jusqu'à l'époque gothique. Ainsi à la cathédrale de Trèves où l'abside occidentale a nécessité d'aménager des accès latéraux. À Marmoutier, un compromis a été établi grâce à la fusion du porche central et des tours de façade. En France, au milieu du XIe siècle, est élaboré le schéma de la façade harmonique. Inaugurée sans doute à la cathédrale de Bayeux dès le milieu du XIe siècle et mise au point à Saint-Étienne de Caen en 1066, elle associe deux tours, un ou plusieurs portails, une tribune à des chapelles hautes, et permet d'installer un beffroi pour les cloches. Cette formule a l'avantage de la lisibilité, mettant l'accent sur l'orientation avec un accès occidental aisément visible par les fidèles. Elle va s'imposer à l'ensemble de l'Europe à l'époque gothique.

En Bourgogne, comme à Cluny et Vézelay, la nef est parfois précédée d'une avant-nef dont la finalité demeure incertaine. La volonté de simplification aboutit à la façade

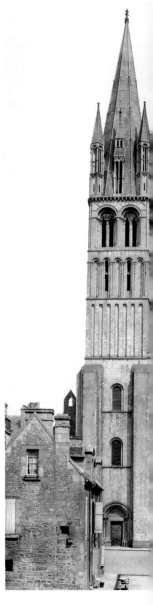

plate constituée d'un mur
de fermeture, percé d'une
ou plusieurs portes et d'une baie.
Les commanditaires renouent
ici encore avec la tradition
du IVe siècle où l'accès des fidèles
n'était pas ralenti par un massif
occidental. En Italie, l'usage de
la façade plate a été courant aussi
bien dans les cathédrales (Parme,
Pise) que dans les abbatiales
(San Abondio à Côme, San Pietro
à Pavie).

Certains maîtres
d'ouvrage se sont
préoccupés d'établir
un accès facile pour
les fidèles en adoptant
la façade harmonique.
À Saint-Étienne de
Caen (à gauche), il est
fondé sur un schéma
tripartite en plan e
t en élévation, et deux
tours. Ci-dessous, à
Marmoutier, il s'agit
d'une synthèse entre
le massif occidental
et le porche.

Les Chartreux : érémitisme et cénobitisme

La fondation de nouveaux ordres religieux au cours de la seconde moitié du XIᵉ siècle et au début du XIIᵉ siècle s'inscrit dans le mouvement de réforme. Si la simplicité était de règle à l'origine de la création des ordres, elle a été rapidement remise en cause par la nécessaire adaptation à de nouvelles réalités. Seuls les Chartreux ont échappé à cette tendance et maintenu l'idéal originel.

Ils conçoivent un plan type de monastère pour répondre aux exigences d'une vie cénobitique et érémitique et pour séparer les moines de chœur des convers, laïcs adultes voulant partager la vie des religieux. Autour du grand cloître de la « maison haute » sont distribuées les

cellules indépendantes des moines, constituées chacune de trois pièces : la première dite l'Ave Maria ; la seconde l'oratoire avec une stalle, un bureau et une alcôve pour le lit ; la troisième, un atelier. Il s'y ajoute un jardin. La seconde partie du monastère est réservée à la vie commune des moines, avec l'église, le petit cloître, la salle capitulaire, le réfectoire et la cuisine. La troisième partie, assez éloignée de la précédente, est destinée aux convers avec les différents bâtiments de service.

L'idéal cistercien

À la suite de difficultés rencontrées à l'abbaye de Molesme, l'abbé Robert décide en 1098 de fonder « le nouveau monastère » qui prend rapidement le nom de Cîteaux. Le succès rapide de la fondation, manifeste avec la création d'autres abbayes, nécessite la rédaction d'une règle, la Charte de charité, qui définit les buts du nouvel ordre. La vie au désert, le travail pour assurer la subsistance,

Le succès remporté par les Cisterciens et les Chartreux a entraîné une réflexion sur l'aménagement de leurs monastères respectifs. Les Chartreux, qui sont érémitiques, ont réparti leurs cellules indépendantes autour du long cloître (à gauche, plan de la Grande Chartreuse).

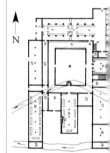

Les Cisterciens, qui vivent en communauté cénobitique, ont resserré leurs bâtiments autour du cloître en accueillant les convers à l'ouest (à gauche sur le plan type des Cisterciens, ci-dessus), dans un corps de logis séparé du cloître par une ruelle.

Fountains Abbey, dans le Yorkshire en Angleterre (page de droite), fondée en 1135 et ruinée au XVIᵉ siècle, a conservé son cadre naturel originel. La proximité de la forêt et la présence de l'eau étaient les deux grandes ressources de l'économie cistercienne.

le refus du superflu. C'est dans le même ordre d'idées que s'inscrit la réflexion sur le plan du monastère. Au départ, les religieux se sont contentés de bâtiments de bois. Le rôle de saint Bernard, entré à Cîteaux en 1113, est décisif : il imagine un plan type suffisamment souple pour s'adapter aux contingences locales. Sa réussite est due à sa simplicité et au confort apporté aux religieux qui doivent vivre en une double communauté humaine rapprochée : les moines de chœur et les convers. À ce souci de fonctionnalité – la vie communautaire de religieux dont le nombre peut atteindre plusieurs centaines exigeant une grande attention à leur vie matérielle –, s'ajoute celui de la qualité architecturale.

Les abbayes cisterciennes en Europe étaient les filles de cinq maisons mères françaises : Cîteaux, Clairvaux, Morimond, Pontigny, La Ferté.

Fontenay est l'exemple type du monastère cistercien, tel que l'a défini saint Bernard. Les moines de chœur cisterciens avaient l'interdiction de sortir de leur monastère. Ils se réunissaient avec les convers à l'intérieur de l'édifice de culte (page de gauche) séparé en trois parties : à l'est, le sanctuaire avec l'autel ; à l'ouest du transept, le chœur des moines de chœur ; dans les travées occidentales, les convers. Le cloître (ci-contre, en bas), disposé à Fontenay au sud de l'abbatiale, desservait les bâtiments des moines de chœur : à l'est, la sacristie, la salle capitulaire, la salle des moines surmontées du dortoir ; en vis-à-vis de l'abbatiale, le *scriptorium*, le réfectoire, la cuisine. Le bâtiment des convers (disparu à la fin du Moyen Âge) était à l'ouest, séparé par une ruelle du cloître avec, au rez-de-chaussée, le réfectoire et le cellier, et le dortoir à l'étage. Certains bâtiments utilitaires étaient situés à l'intérieur du monastère afin de permettre aux moines de chœur de s'y rendre, c'est le cas de la forge de Fontenay (ci-contre, en haut).

L'ordre veille avec grand soin au choix du site
et aux divers aménagements, notamment
hydrauliques, destinés à apporter un certain confort
au sein de la solitude recherchée. L'église abbatiale
réunit les moines de chœur et les convers tout
en respectant une séparation rigoureuse. Le cloître
est destiné à assurer la communication entre
les différents bâtiments, édifice de culte, chapitre,
dortoirs, etc. Les convers sont logés à l'ouest
dans un corps de bâtiment séparé du cloître par une
ruelle. À ce premier ensemble relativement dense
s'en ajoutent un deuxième, avec les bâtiments de
travail et la maison des hôtes, et enfin un troisième,
avec les granges qui ne doivent pas être éloignées
de plus d'une journée de marche afin que l'ensemble
de la communauté puisse se réunir le dimanche
dans l'abbatiale. Dès la mort de saint Bernard en
1153, des modifications sont apportées au schéma
initial : le sanctuaire hémicirculaire ou rectangulaire
est remplacé par un chevet à déambulatoire
et chapelles comme à Clairvaux et à Pontigny.

Le rôle des communes

Les communes, villes dirigées par les habitants unis
entre eux, interviennent dans la construction
religieuse. Le cas de Pise est à cet égard exemplaire :
au lendemain de la victoire maritime des Pisans sur
les Arabes, en 1064, la décision est prise de
reconstruire l'ancienne cathédrale Notre-Dame,
relativement modeste, selon un vaste plan
d'ensemble susceptible de rivaliser avec ceux de
l'époque paléochrétienne. Ce projet est porteur
d'un message religieux – la lutte contre l'islam –
et politique – la rivalité avec Venise – qui ne peut
échapper à aucun des contemporains.

L'attitude de Pise est en effet d'autant plus
significative qu'elle se veut une réponse à la
décision du doge de reconstruire à Venise sa
chapelle palatine. Les doges représentent le pouvoir
impérial byzantin en même temps qu'ils sont élus
par les représentants des assemblées. Ils en tirent
une liberté d'action exceptionnelle. Les reliques
de saint Marc, dérobées par des marchands vénitiens

La République de Pise
chargea l'architecte
Buscheto de concevoir
un projet grandiose
qui devait associer
cathédrale, campanile,
baptistère et *Campo
Santo* (le bâtiment
rectangulaire en bas
de la photo, ci-dessous).
Le programme
s'inspirait de modèles
de l'Antiquité tardive,
tel Poreč (VIᵉ siècle).
À la suite de Buscheto,
Rainaldo fut chargé
d'allonger la cathédrale
jugée trop petite et de
lui donner une façade
qui fut exécutée de 1115
à 1130 (à droite).

Les travaux se poursuivirent avec un programme de sculptures, conçu par Guglielmo, jusque vers 1160-1170. À cette date fut entrepris le campanile sur un plan circulaire. En 1278, la construction du *Campo Santo* complète le site. L'ensemble conjuguait les ambitions de la République, rappelait l'origine antique de la ville, affirmait enfin la prééminence de la cité grâce à un programme urbain unique à l'époque.

en 828, ont été déposées dans son palais. Le doge Domenico Contarini (1043-1071) décide en 1063 de reconstruire la basilique en s'inspirant manifestement de celle des Saints-Apôtres de Constantinople, qui abrite les reliques des apôtres et les tombeaux impériaux. Il cherche ainsi à s'attribuer une légitimité paléochrétienne.

Modène offre un témoignage exceptionnel sur les conditions de la reconstruction de sa cathédrale. La décision est prise en 1099, alors que le siège épiscopal est vacant, à la fois par les religieux de la cathédrale et des églises paroissiales, les habitants et les chevaliers de la ville. Elle entraîne aussitôt l'adhésion de la comtesse Mathilde, qui partage avec l'évêque l'autorité sur la ville. L'initiative reste néanmoins à la population qui choisit l'architecte, Lanfranc, et qui réalise les fondations. Il est certain que les reliques de saint Gimignano ne sont pas étrangères à cette adhésion populaire. Elle prend un éclat particulier lors de leur transfert dans le nouvel édifice en 1106.

Les seigneurs et l'architecture civile

L'architecture religieuse fait au cours de l'époque romane l'objet d'une intense réflexion ; il n'en va pas de même de l'architecture civile, faute de besoins spécifiques nouveaux des souverains et des grands seigneurs.

À l'est, le castrum de Provins (IXe-Xe siècle) protégé par son enceinte avec la tour César (1), la résidence seigneuriale (2), la collégiale (3) ; à l'ouest, le châtel (bourg [4]) du XIe-XIIe siècle.

En milieu rural, la motte féodale, avec le *domicilium* à son pied, est maintenue jusqu'à une date très tardive du XIe siècle dans une grande partie de l'Europe. L'évolution se fait au profit de la pierre et d'une distinction de plus en plus marquée entre la tour et la résidence. Ainsi à Provins, la tour dite César, tournée à l'ouest vers le danger, le royaume capétien, se dresse au sommet d'une motte, alors que la résidence est située à l'abri du danger,

plus à l'est, avec la collégiale dédiée à saint Ayoul et les maisons canoniales. Il en va de même sur les bords de Seine, à La Roche-Guyon, où la tour a été dressée au sommet de la falaise, et la résidence à son pied avec une liaison par un escalier creusé dans le roc. C'est à la même date qu'est conçue la tour de Houdan par Amaury III de Montfort. C'est un schéma que l'on trouve dans les autres pays européens. Entre-temps, ces forteresses ont donné lieu à l'émergence d'agglomérations.

La naissance du palais urbain

La reconstitution des grandes seigneuries et la conquête des royaumes ont une incidence immédiate sur la résidence. Guillaume le Conquérant en fournit un exemple précoce en confiant en 1078 à l'évêque de Rochester, Gondulf, le soin de construire le palais, siège du gouvernement et résidence royale, la « Tour de Londres ». La réalisation est exceptionnelle par son plan et son élévation. L'édifice doit affirmer visuellement la centralisation du pouvoir créé par le nouveau roi. Il se distingue à cet égard du château de Caen réalisé par Guillaume le Conquérant à partir de 1070, dont la finalité était uniquement militaire.

Le château de La Roche-Guyon (ci-dessus), sur une falaise de la Seine, bien que modifié au cours des siècles par les seigneurs de La Roche, obéit à un schéma proche de celui de Provins : au sommet du plateau, la tour cylindrique à éperon ; dans la partie inférieure, la résidence reconstruite à l'époque classique ; entre les deux, l'escalier creusé dans la craie.

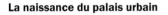

À Provins, la tour César (page de gauche, en haut), de pierre montée sur une motte de terre, assurait la défense de la collégiale, elle-même défense spirituelle, et des maisons canoniales qui l'entourent, ainsi que celle de la résidence seigneuriale.

Le palais impérial de
Goslar (Allemagne) a
été reconstruit à partir
de 1132 (ci-contre,
restitution dans
son état de 1200).
Il manifeste la volonté
impériale de regrouper
les différents édifices
de la résidence
et d'isoler la chapelle
de la Vierge (1).
Le bâtiment central (2)
contient à l'étage l'*aula*
avec au centre le trône
impérial et la tribune
extérieure (3).
Sur la gauche, les
appartements privés
aboutissent à l'oratoire
Saint-Ulrich (4) de plan
quadrilobé.

C'est à partir de cette période que se met en place
le palais civil médiéval. Son organisation varie selon
le pays et le climat, mais il rassemble trois éléments
qui sont devenus indissociables : l'*aula*, la *camera* et
la *capella*. L'*aula*, ou « salle », est l'héritière d'une
tradition qui remonte à l'Antiquité romaine et que
les souverains carolingiens ont remise au goût du
jour, ainsi à Aix-la-Chapelle, où elle fait pendant au
nord à la chapelle. En Angleterre, elle a pris l'aspect
d'une construction de pierre allongée
(10 x 32 m), très simple, et couverte
d'une charpente. Elle s'élargit
dans certains cas grâce à une file
de supports placés au centre. À
Westminster, à la fin du XIe siècle,

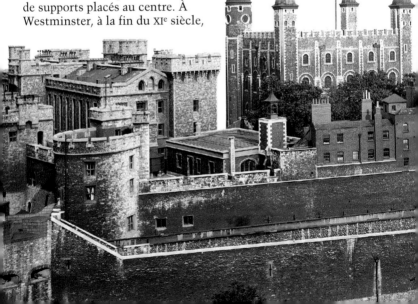

Guillaume le Roux lui donne une largeur
de 20 mètres, rendant délicat son couvrement.
La *camera*, ou « chambre », désigne en fait
les appartements et la *capella*, ou « chapelle »,
lui est associée. Cette dernière a pour fonction
de permettre au seigneur de prier, mais surtout
de se placer sous la protection du saint dont
les reliques se trouvent conservées à l'intérieur.

Ce schéma très souple est susceptible de
variations : dans l'Empire, le palais se développe
autour de la tour, circulaire, carrée ou polygonale.
Les salles d'apparat et les appartements, destinés
à la représentation, sont construits à part, dans
e « palas ». Landsberg, en Alsace, en est un
témoignage exceptionnel. Sa portée emblématique
est soulignée par la présence de pierres taillées
en bossages.

La tour, emblème de pouvoir

En France, la tour, omniprésente dans les résidences
rurales et urbaines, était isolée. Elle a perdu sa
finalité de surveillance et de défense au profit d'une
symbolique politique, généralement au cours du
premier tiers du XIIᵉ siècle. Elle est signe de pouvoir,
et sa hauteur, 20 à 30 mètres, permet de la voir au
loin. Elle est introduite à l'intérieur du palais royal
de Paris, dans la Cité, par Louis VI vers 1120. Elle

La Tour de Londres (au
deuxième plan sur la
photo ci-dessous) est la
première construction
en Angleterre réalisée
par un architecte,
l'évêque de Rochester,
Gondulf, d'origine
normande, et des
maçons d'origine
française, utilisant
la pierre de Caen.
Elle était destinée à
surveiller la ville et ses
communications avec la
mer, à être la résidence
royale et le siège
de l'administration. Le
parti est celui de la tour
rectangulaire de pierre,
fréquente dans la France
du Nord. La résidence
se trouvait aux deux
étages supérieurs, avec
à l'angle sud-est,
la chapelle (à gauche
sur la photo). La tour,
à l'origine isolée,
a été enveloppée
au XIIIᵉ siècle par
une nouvelle enceinte,
scandée de tours
circulaires (au premier
plan). Elle a été
elle-même modifiée
au cours des âges par les
nombreux percements
des murs extérieurs.

prend ainsi place non loin de l'*aula*, reconstruite à l'extrême fin du XIIIᵉ siècle par Philippe le Bel, qui lui conserve ses dimensions originelles (70 x 29 m) et ses deux niveaux : le rez-de-chaussée voûté, l'étage à deux vaisseaux charpentés. Les grands seigneurs français du XIIᵉ siècle s'inspirent de ce schéma. Ainsi les comtes de Poitiers conçoivent un vaste ensemble : le palais dès 1018, une tour en 1104, dite tour Maubergeon, modifiée par le duc de Berry, et, au milieu du XIIᵉ siècle, une vaste *aula* de 50 mètres de long sur 16 mètres de large.

Les évêques et leur palais

Les évêques jouent au cours de cette période un rôle moteur. Dans l'Empire, ils sont les relais de la politique impériale. En Angleterre, Guillaume le Conquérant nomme un nombre considérable de prélats d'origine continentale pour qu'ils appuient la politique conduite dans les domaines civil et religieux. En France, certains ont des responsabilités seigneuriales, et ils n'oublient pas que l'édit de Tolérance leur a donné un rôle primordial dans

Les palais des seigneurs et des évêques comprenaient, outre la chapelle et la tour, l'*aula*. Chez les laïcs, elle servait à réunir la cour, offrir des dîners ou tenir des assemblées, et ses dimensions étaient proportionnelles au rang du seigneur. Située généralement à l'étage, elle était toujours charpentée, condition d'une largeur suffisante. La salle du palais de Poitiers (ci-dessus), aujourd'hui intégrée au palais de justice, a conservé son parti d'origine et le rythme des arcatures aveugles le long des murs. Au XIVᵉ siècle, y a été ajoutée une cheminée surmontée de la tribune des musiciens et d'une grande verrière.

la hiérarchie administrative romaine. À Rome, Constantin avait affecté au pape Silvestre l'ancien palais du Latran comme résidence. La *Domus episcopi* a pris dès l'époque carolingienne le nom de palais. Au XIIᵉ siècle, un certain nombre d'entre eux sont reconstruits suivant un parti proche de celui des rois et des grands seigneurs, avec l'*aula*, la *camera* et la *capella*. Beauvais est l'un des seuls qui subsistent. Les palais épiscopaux rivalisent alors avec les plus belles résidences contemporaines dès lors qu'elles sont situées en milieu urbain.

C'est en tant que prince-évêque de Durham que Guillaume de Saint-Calais entreprend à partir de 1093 une forteresse, dressée face à l'Écosse, comme une affirmation du pouvoir du roi d'Angleterre. Ailleurs, comme à Nevers, l'évêque se contente de dresser l'*aula* sur le mur antique et de l'ouvrir largement sur le beau paysage d'outre-Yonne. Dès cette époque, le souci de la réception se mêle à la recherche du confort. S'y ajoute l'attention apportée au décor des jardins qui complète agréablement l'architecture de pierre et de bois.

Hugues de Montaigu, évêque d'Auxerre (1115-1136), reconstruit le palais épiscopal (derrière la cathédrale) en disposant sur le mur d'enceinte antique des « loges ». Il s'agit d'une galerie de 22 mètres qui s'ouvre vers l'Yonne grâce à une série de baies en plein cintre reposant sur des colonnes ornées. C'est la première apparition d'un thème qui ne s'est répandu en France qu'au XIVᵉ siècle et dans l'ensemble de l'Europe qu'à la Renaissance. La galerie desservait des corps de logis aujourd'hui disparus ; à droite, demeure l'*aula*, plus tardive, avec son mur oriental percé de nombreuses baies.

Les nouveaux commanditaires religieux participent dans tous les domaines à la réforme grégorienne, et accordent à l'image un statut qui lui a longtemps été refusé. L'époque romane manifeste à cet égard une rupture radicale avec le passé. L'Église reconnaît de façon définitive le rôle de l'image pour une meilleure compréhension par les fidèles des mystères de la foi.

CHAPITRE 3

L'« INVASION » DE L'IMAGE

L'iconographie du Jugement dernier du tympan occidental de la cathédrale Saint-Lazare d'Autun (à gauche) a été définie par l'évêque Étienne de Bagé (1112-1136). D'une ampleur exceptionnelle, c'est le Jugement dernier le plus complet et le plus important réalisé au XIIᵉ siècle. À la même époque, le sol du déambulatoire de Saint-Philibert de Tournus est décoré de mosaïques évoquant des scènes profanes comme cet élégant chevalier (à droite).

L'image dans la pédagogie catholique

Le christianisme était apparu dans la civilisation romaine où l'image régnait, mais avait ses racines dans le judaïsme qui, lui, avait interdit toute représentation, source d'idolâtrie. Ainsi, dès les premiers temps, certains membres du clergé ont manifesté une réticence vis-à-vis de l'image. Par la suite, le pape Grégoire Ier (590-604), tout en rappelant que l'image ne pouvait pas faire l'objet d'un culte, lui reconnaissait un rôle didactique, mnémonique et affectif.

Lors de la crise iconoclaste du VIIIe siècle, à Byzance, qui aboutit à la destruction des images, le pape Léon III se trouva dans l'obligation de prendre sur le sujet une attitude claire. Il chargea Charlemagne d'un rapport pour trancher un débat dangereux pour l'Église occidentale. Une commission, qui réunit les plus grands intellectuels, rédigea les *Libri Carolini*, un texte qui a aussitôt servi à fonder la doctrine officielle : l'image ne peut être adorée parce qu'elle n'a pas de valeur religieuse, mais elle ne peut être détruite parce qu'elle a une valeur qui lui est propre. Si on lui reconnaissait une valeur pédagogique auprès de ceux qui ne savaient pas lire, la vision artistique n'en restait pas moins inférieure à la vision religieuse. Ce document demeurait un compromis

Quelle que soit la technique, enluminure, orfèvrerie, sculpture…, l'image explose. Ayant un rôle pédagogique, son sens et sa forme sont fondamentaux. En haut, à gauche, saint Jean a été figuré écrivant, inspiré par l'Esprit saint (la colombe), et au service d'un abbé commanditaire qui lui apporte l'aide matérielle, un encrier dans lequel l'apôtre plonge son calame (en bas de l'image). Ci-dessus, l'orfèvre Roger a représenté saint Matthieu par son symbole, l'Ange, dans la reliure de l'Évangéliaire de Helmershausen (vers 1100). L'Adoration des mages, page de droite, est une œuvre un peu particulière. Malgré sa petite taille (h. 36 cm), son style évoque la grande sculpture monumentale.

habile entre les parties opposées. Le statut de l'image était définitivement reconnu : elle n'était pas sacrée comme l'écrit qui était d'inspiration divine ; réalisée par l'homme pour l'homme, elle relevait de l'activité humaine.

Les réformateurs saisissent ce qu'ils peuvent tirer des *Libri Carolini* en donnant à l'image un rôle moteur dans le dialogue de l'Église avec les fidèles afin de mieux les sensibiliser aux réalités de la foi. L'image ne peut cependant pas être utilisée de façon arbitraire ; elle exige une étude attentive pour être mise en œuvre. C'est reconnaître les rôles essentiels du concepteur et ensuite du créateur. Le premier doit fournir au second les thèmes pour éviter une interprétation hétérodoxe. Il revient au second de donner à l'image une forme qui conjugue la *peritia*, l'habileté technique, et la *venustas*, la beauté.

Le succès n'est pas immédiat. Nombre d'intellectuels continuent à manifester une grande réserve. À la fin du XIe siècle, de façon brutale, l'image envahit les édifices de culte affiliés à l'abbaye de Cluny.

L'architecture au service de la diffusion de l'image

Cette « invasion » de l'image évoque les premiers temps chrétiens, avec une différence de poids dans le monde de l'architecture : l'image sort de l'édifice de culte pour s'affirmer à l'extérieur. Elle s'inscrit à la fois dans la tradition, par référence aux modèles antérieurs, mais elle innove également dans nombre de domaines.

À l'époque romane, le codex, assemblage de cahiers cousus entre eux, se répand largement et l'image devient beaucoup plus présente : des pleines pages d'enluminures indépendantes du texte apparaissent et l'iconographie est entièrement renouvelée. C'est ainsi qu'Étienne Harding, abbé de Cîteaux, consacre dans sa Bible une page entière à l'histoire de David (page de gauche). Ci-contre, trois lettrines « Q » des *Moralia in Job* exécutées par un moine cistercien. La première (en haut) campe un cavalier terrassant un dragon, les deux autres évoquent les travaux des champs, premières figurations empruntées à la vie quotidienne. Dans la Bible de Winchester (v. 1180, page suivante, à gauche), sont réunis les principaux hauts faits du roi David, traités avec un naturalisme très nouveau.

Dans le Missel d'Hildesheim (page suivante, à droite), réalisé un peu auparavant (v. 1160) par le prêtre Henri de Midel, c'est le principe typologique qui est adopté : l'Ancien Testament préfigure le Nouveau. Ainsi les allégories du Christ et de la Sagesse divine sont entourées de personnages de l'Ancien Testament.

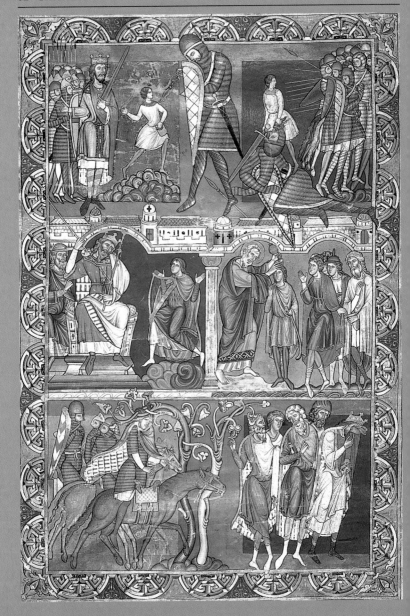

Les maîtres d'ouvrage et les concepteurs s'impliquent dans la création de nouveaux programmes iconographiques, dans leur distribution et dans le choix des techniques. Ils renouvellent ainsi la signification de l'édifice de culte. Là encore, on constate une grande diversité qui impose une certaine prudence dans son interprétation. L'édifice de culte a été conçu au départ comme un tout avec son décor, mais sa réalisation a pu s'étendre dans le temps. Les longs murs nus d'un vaisseau central ont souvent reçu un décor peint plus tardivement. C'est lui qui donne à l'édifice sa signification. Saint-Savin, en France, en fournit un exemple. Le parti architectural, avec les voûtes du vaisseau central et celles des collatéraux situées à la même hauteur, et les fenêtres latérales percées haut dans le mur, a pour objectif d'éclairer le décor de la voûte. Ce décor peint unifie l'espace intérieur réparti entre les travées du chœur des religieux à l'est et celle des fidèles à l'ouest.

Le maître d'ouvrage ressuscite parfois des techniques qui ont été abandonnées. La mosaïque en particulier s'inscrit dans la volonté de renouer avec la tradition des premiers temps chrétiens. L'abbé Didier du Mont-Cassin doit faire appel à des artisans byzantins, faute de mosaïstes occidentaux; de même Roger II, roi de Sicile, décide en 1130 de couvrir de

mosaïques la partie la plus vénérable de la chapelle palatine de Palerme, le sanctuaire, laissant les voûtes du chœur et les murs de la nef sans décor. Son fils Guillaume étend finalement le décor à l'ensemble de l'édifice dont il modifie ainsi sensiblement la signification. À la cathédrale de Cefalù, Roger II, toujours lui, fait appel à des artisans de haut niveau pour le sanctuaire alors qu'il s'est montré moins exigeant pour l'abside (1145) et qu'il a renoncé à cette technique onéreuse pour la nef. Il en va de même à Saint-Marc de Venise où seuls l'abside et le sanctuaire doivent à l'origine recevoir un décor de mosaïque.

La hiérarchisation qualitative des espaces intérieurs et des masses extérieures relève de la volonté des religieux d'insister sur la partie la plus sacrée. Monreale en est l'exemple le plus abouti : l'abside destinée à l'autel majeur est ornée à l'intérieur d'un décor de mosaïques qui associe le Christ, la Vierge, les apôtres, aux personnages de l'Ancien Testament, et l'extérieur est décoré d'arcs brisés, d'incrustations polychromes et de colonnettes. Ailleurs, comme à Conques ou à Saint-Sernin de Toulouse, il ne subsiste qu'un appareillage plus soigné que le reste de la maçonnerie pour souligner la partie la plus sacrée de l'édifice.

En faisant construire en 1063 la basilique Saint-Marc de Venise, inspirée de l'église des Saints-Apôtres de Constantinople, le doge Domenico Contarini cherchait affirmer l'origine paléochrétienne e la ville. Le décor de mosaïque pariétal au départ réservé au sanctuaire fut étendu à partir du XIIe siècle à l'ensemble des parties supérieures de l'édifice, porche compris. Dans un premier temps, il fut réalisé par des artisans byzantins, relayés ensuite par des Vénitiens. Ce programme iconographique byzantin est enrichi par des apports occidentaux, ainsi la coupole de la Genèse, dans le porche (ci-dessus, détail du début du XIIIe siècle).

Saint-Savin sur Gartempe est un édifice conçu dès l'origine pour être entièrement décoré. Ainsi, le parti architectural des arcades montées très haut de façon à faire bénéficier la voûte de la nef d'un éclairage abondant est destiné à permettre de bien lire les peintures qui vont la couvrir (page de gauche). Outre son rôle pédagogique, la peinture doit aussi unifier l'espace entre le chœur des moines, alors très nombreux, installés dans les six dernières travées de la nef, devant le sanctuaire, et la partie réservée aux fidèles, dans les trois premières travées marquées par des arcs-doubleaux. Si on ne connaît pas la date du début des travaux de l'abbatiale, on sait que les peintures ont été exécutées vers 1100. Elles mettent en scène l'Ancien Testament depuis la Création du monde jusqu'à la remise des Tables de la Loi à Moïse, sur quatre registres, avec une lecture qui commence à l'ouest, du côté des fidèles, et finit à l'est, près du sanctuaire. Ci-contre : en haut, Dieu créant les deux astres homme-soleil et femme-lune ; au milieu, l'arche de Noé ; en bas, l'armée de Pharaon poursuivant les Hébreux.

L'autel

L'autel joue dans la religion catholique un rôle central. Quotidiennement, le prêtre renouvelle sur la table le sacrifice du fils de Dieu, transformant le pain et le vin en corps et en sang du Christ. Son emplacement à l'intérieur de l'église définit un espace sacré en même temps qu'il le centralise. Au cours de la période romane, a lieu une modification

dans la répartition des espaces intérieurs, conséquence du changement de l'orientation du célébrant. Jusqu'alors, il était tourné vers les fidèles, les religieux se trouvant derrière lui, dans l'abside. À présent, il leur tourne le dos. Pour que l'officiant puisse s'adresser à l'ensemble de la communauté, l'assemblée ou *ecclesia*, l'autel est repoussé dans l'abside, la communauté des religieux placée au-devant et les fidèles installés dans la nef. Ce déplacement aboutit à renouveler le décor de l'abside et le mobilier liturgique.

Il subsiste un certain nombre d'autels qui attestent d'une fidélité à la position traditionnelle du prêtre, comme en témoigne leur *antependium*, avec la face occidentale ornée de la figuration du Christ accompagné du collège apostolique. Les plus beaux exemples, et d'ailleurs les plus anciens, sont faits de bois recouvert de plaques

À Saint-Clément (à gauche), à Rome, la fresque représentant la messe donne une image précise de la cérémonie à la fois dans son déroulement et dans son décor. Saint Clément, entouré des religieux à sa droite et des fidèles à sa gauche, officie avec les différents *ornamenta ecclesiae* : le calice, la patène pour l'hostie, l'évangéliaire...

La première position du célébrant – tourné vers les fidèles – a pu se prolonger jusqu'à une époque tardive, ce qui explique que la face occidentale de l'autel, l'*antependium*, a continué à être décorée. Seule nouveauté : l'emploi de matériaux moins onéreux, pierre, bois, cuivre, que ceux de l'époque carolingienne, le plus souvent d'or et d'argent.

L'*antependium* provenant de l'église de Tahüll (ci-contre), en Catalogne, en bois relevé de polychromie, représente le Christ dans une mandorle, encadré des symboles évangéliques et entouré, sur deux registres, des apôtres.

En cette fin du XIᵉ siècle, les modifications liturgiques liées à la réforme grégorienne ont introduit de profondes transformations de l'autel et de son environnement. La table d'autel rectangulaire ou parfois circulaire fait sa réapparition, car elle permet au prêtre de choisir de faire face aux fidèles ou de leur tourner le dos. Celle de Saint-Sernin (en bas) a été commandée par les « confréries » de Saint-Sernin au sculpteur Bernard Gilduin.

de métal (*antependium* de Broddetorp, à Stockholm), de bois sculpté et peint (Notre-Dame, à Tahüll, Catalogne) ou de pierre (Avenas, France).

La table d'autel de marbre, dont il existait de nombreux exemples à l'époque paléochrétienne, retrouve une certaine faveur car elle offre l'avantage pour le célébrant de choisir sa direction. Certaines d'entre elles sont confiées à des sculpteurs célèbres, comme Bernard Gilduin, qui signe celle de Saint-Sernin de Toulouse : sur la tranche sont figurés le Christ, la Vierge et les apôtres, manifestement inspirés du style paléochrétien. La table de l'abbatiale de Cluny, toujours conservée, et à peu près contemporaine, est consacrée par le pape Urbain II en 1098.

La création du retable

La nouvelle position du célébrant, dos tourné aux fidèles, aboutit à renoncer

à l'emplacement occidental de l'*antependium* pour le dresser en retable sur l'autel, face à celui-ci.
À certaines occasions, des *antependia* de métal ont pu être modifiés pour devenir des retables, ainsi à San Miguel in Excelsis, à Huarte Araguil et à Santo Domingo de Silos. On a aussi réalisé des retables qui conservaient la forme allongée des *antependia* : en or ou argent repoussé sur âme de bois, qui ont généralement disparu ; en cuivre comme le retable de la Pentecôte de Stavelot ; en cuivre champlevé ou émaillé comme à Grandmont et même plus simplement en pierre comme à Saint-Denis. Certains d'entre eux atteignent des dimensions exceptionnelles, comme celui de Stavelot (2,78 m de large). Il était destiné à abriter la châsse contenant les reliques de saint Remacle, dont la légende est illustrée par des scènes émaillées.

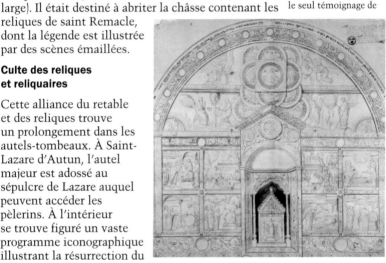

Ce dessin de 1661 est le seul témoignage de

Culte des reliques et reliquaires

Cette alliance du retable et des reliques trouve un prolongement dans les autels-tombeaux. À Saint-Lazare d'Autun, l'autel majeur est adossé au sépulcre de Lazare auquel peuvent accéder les pèlerins. À l'intérieur se trouve figuré un vaste programme iconographique illustrant la résurrection du saint par le Christ. Il a existé d'autres exemples de ces monuments qui associaient l'autel et les reliques les plus précieuses, mais ils ont généralement disparu à la suite des prescriptions du concile de Trente. Les sept plaques de marbre remontées dans le déambulatoire de Saint-Sernin de Toulouse devaient constituer à l'origine une immense châsse reliquaire, avec les figurations du Christ et du collège apostolique, auxquelles avait été ajoutée celle de saint Saturnin, alors considéré comme un apôtre.

l'ensemble du grand retable de Saint-Remacle (2,78 m de large) à Stavelot, en cuivre émaillé et doré, commandé par l'abbé Wibald vers 1135. Une châsse avec les reliques du saint était logée au centre dans une niche. Seuls ont été conservés deux petits médaillons.

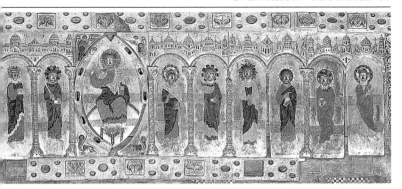

Les reliques sont généralement conservées dans des réceptacles plus simples. La légitimation du culte des reliques par Grégoire Ier a des conséquences gigantesques au cours de la réforme grégorienne au XIe siècle. Les réformateurs font preuve d'un zèle remarquable qui aboutit à un véritable trafic au niveau européen. Achats, vols, inventions sont autant de moyens pour fournir les édifices de culte en reliques et y attirer les fidèles en pèlerinage. Le *Guide de Saint-Jacques de Compostelle* est rédigé vers 1120 dans une optique médiatique qui sera couronnée de succès.

Ces précieux vestiges doivent être protégés pour être conservés et offerts à la piété des fidèles. La forme la plus simple est la châsse, une boîte rectangulaire, couverte d'une toiture en bâtière, et dont les flancs sont ornés de scènes illustrant la vie, la légende, les miracles du saint. Monarques, grands seigneurs, évêques et abbés s'ingénient à financer ces châsses, comme à Saint-Remacle de Stavelot l'abbé Wibald (1130-1158), l'un des fervents propagateurs du culte des reliques. Généralement, les dons sont anonymes et les noms des commanditaires ne nous sont pas parvenus.

À Santo Domingo de Silos, l'*urna* de saint Dominique était placée derrière l'autel de l'abbatiale comme retable (ci-dessus, son parement de cuivre émaillé et doré).

Disparu en 1766, l'autel-sépulcre de saint Lazare à Autun, aménagé par l'évêque Étienne de Bagé, associait aussi autel et reliques (reconstitution ci-dessous). À l'intérieur du sépulcre, en marbre polychrome, de 6 mètres de haut, se développait une scénographie évoquant la résurrection du saint, annonciatrice de celle du Christ.

La légitimation du culte des reliques aboutit au XIIᵉ siècle à un développement spectaculaire : découvertes fortuites de reliques oubliées, échanges, dépeçage de corps pour multiplier les fragments, ce qui explique le nombre de réceptacles réalisés à cette époque afin de permettre aux fidèles de les vénérer. Ci-contre, l'évêque Geoffroi procède à l'amputation d'un bras de saint Apollonius pour le placer dans un bras-reliquaire.

Statues-reliquaires et reliquaires anthropomorphes

Il existe bien d'autres réceptacles qui ont pris des formes inattendues. Ainsi les statues-reliquaires en ronde bosse, comprenant à l'arrière un réceptacle destiné à abriter des reliques, dont le plus ancien témoignage pourrait être la *Vierge assise tenant l'Enfant* commandée vers 947 par Étienne II, évêque de Clermont. Ce thème de la Vierge et l'Enfant s'impose à l'époque romane dans l'ensemble de l'Europe, parfois associé à l'Adoration des mages. Le plus souvent, comme à Clermont, la statue-reliquaire est posée sur un support à proximité de l'autel. La formule s'étend très rapidement à la figuration des saints, comme sainte Foy à Conques, autour de l'an mille. Ces statues de bois sont revêtues de plaques de métal et de pierres précieuses, soit dès l'origine soit postérieurement.

Par « anthropomorphisme », les reliquaires prennent parfois la forme des reliques qu'ils contiennent : la tête

du pape Alexandre, à Stavelot en 1145, mais aussi les différentes parties du corps : bras, fémur, jambe, pied. Il en subsiste un certain nombre ; des ensembles sont encore conservés à leur emplacement d'origine, comme à la cathédrale de Dubrovnik avec les reliques de saint Blaise, d'autres sont aujourd'hui dispersés dans des musées. Ces vestiges ne sont pas suffisants pour saisir la réalité du culte des reliques à l'époque romane : descriptions, inventaires, dessins permettent d'évoquer parfois plusieurs centaines d'objets précieux par lieu de culte.

Autour de l'autel

Un certain nombre de pièces mobilières autour de l'autel sont l'objet d'un soin particulièrement attentif. L'Italie conserve des chaires épiscopales de marbre qui affirment dans leur iconographie la place privilégiée de l'évêque du diocèse (Bari, Canossa).

Les textes mentionnent – et quelques objets subsistent encore – des pièces de bronze gigantesques comme les porte-croix (Saint-Remi de Reims, la cathédrale d'Hildesheim) et les candélabres (cathédrale de Brunswick, Saint-Paul-hors-les-Murs, Gloucester, Milan).

Textes et documents graphiques, ainsi qu'ensembles de mobiliers et de sculptures patiemment reconstitués, nous assurent que l'image romane était plus étendue encore. Les cuves baptismales portent parfois sur leur flanc une iconographie liée au baptême du Christ. Celle qui est conservée à Saint-Barthélemy de Liège, exécutée à l'origine pour Notre-Dame-aux-Fonts, est l'une des plus remarquables par son iconographie qui associe le baptême du Christ à ceux de Craton par saint Jean et de Corneille par saint Pierre. Il existe également des groupes sculptés en bois, à Erill-la-Vall en Catalogne ou à Volterra en Italie, dont l'emplacement original nous échappe. Les statues en ronde bosse disposées autour de la Croix illustrent de façon pathétique la Déposition du Christ.

L'aménagement du chœur des religieux

La nouvelle position de l'officiant amène aussi un aménagement renouvelé du chœur des religieux, chanoines dans les cathédrales et les collégiales, moines dans les abbatiales. Ici encore, les précisions chronologiques font défaut, la transformation s'étant effectuée sur la longue durée. De façon assez générale, le chœur des religieux n'est plus situé dans la partie orientale de l'édifice ni dans la totalité du

Pour frapper l'imagination des fidèles, il importait qu'à la qualité de l'iconographie s'ajoutât la force de la scénographie. Ainsi les groupes sculptés mettant en scène la Déposition du Christ en évoquent toutes les étapes : le Christ en croix, la main droite déclouée, les deux mains déclouées et enfin le Christ détaché entièrement. Parmi ceux qui subsistent en Italie et en Catalogne, le groupe d'Erill-la-Vall (début du XIIᵉ siècle, ci-dessous) est l'un des plus anciens.

vaisseau, comme l'indique le plan de Saint-Gall, mais dans les travées orientales de la nef. C'est au cours de la période romane que s'est organisé le chœur avec des stalles de bronze ou des bancs de pierre disposés sur deux rangées est-ouest au nord et au sud.

La séparation entre religieux et fidèles aboutit à renouveler le mobilier traditionnel, et ainsi à créer des ambons et des clôtures basses. Il est vraisemblable que les nombreux christs monumentaux de bois ou de bronze, conservés sur place ou dans les musées, surmontaient à l'origine cette clôture : ils étaient visibles par le fidèle dès son entrée dans l'église. *La Déposition de Croix* de la cathédrale de Parme, signée par Benedetto Antelami, pourrait en être un vestige. Les sculptures de stuc des abbatiales de Saint-Cyriaque de Gernrode et de Saint-Michel d'Hildesheim en sont des témoignages plus évidents.

Saint-Clément à Rome a été reconstruite vers 1120 au-dessus d'une basilique du IVᵉ siècle. L'aménagement liturgique relève d'une conception renouvelée voulue par le cardinal Anastase (1099-1125), le maître d'ouvrage. À l'est, au fond de l'abside, le trône pontifical ; au-devant de l'abside, l'autel et les reliques surmontés d'un *ciborium* ; à l'ouest du sanctuaire, le chœur des religieux délimité sur trois côtés par une clôture basse avec deux ambons (déplacés, au XIXᵉ siècle, de part et d'autre de la clôture, ci-dessus).

L'image s'extériorise : le portail

Si le décor intérieur renoue
d'une certaine manière avec la
tradition des premiers édifices
chrétiens, l'Église grégorienne
rompt brutalement avec
le passé en donnant à l'image
une portée triomphale : elle
l'inscrit à l'entrée de l'édifice
de culte. L'image destinée aux
fidèles doit à la fois les séduire
par la limpidité de son message
et les introduire dans la
maison de Dieu. Elle devient
ainsi la *Porta coeli* – la Porte
du ciel –, comme le rappelle
l'inscription gravée au seuil de
la cathédrale de Pise. Le portail
n'est pas forcément situé à
l'ouest, mais peut être au
débouché de la rue principale,
située latéralement. Ainsi le
portail de la cathédrale de
Cahors se trouve au nord au débouché du *cardo*
(axe nord-sud antique), et ceux des abbatiales
Saint-Sernin de Toulouse et Saint-Pierre de Moissac
donnent au sud sur la rue qui les relie à la ville
ou au bourg.

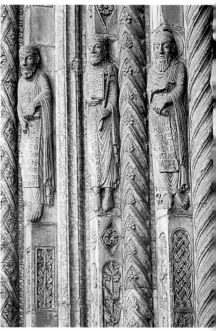

À Notre-Dame-de-
l'Incarnation, dite
Notre-Dame-la-
Grande, à Poitiers
(à droite), le parti de la
façade-écran – tendue
devant les trois
vaisseaux de l'édifice –
a imposé les différents
registres auxquels
la sculpture a été
intégrée. L'histoire
de l'Incarnation débute
au-dessus des trois
portails avec Adam
et Ève et les prophètes
annonciateurs de
la venue du Christ ;
au-delà, les apôtres sur
deux registres ; et enfin,
au sommet, au pignon,
dans une mandorle,
le Fils de Dieu, incarné
par la Vierge.

L'iconographie du portail est en fait un transfert
de celle qui se trouvait jusqu'alors dans l'abside
ou sur l'autel majeur. Les *antependia* des autels de
Saint-Genis des Fontaines et Saint-André de Sorrède
ont été simplement transférés de l'autel à la façade
occidentale. À Carennac, le tympan est une
transcription dans la pierre d'un autel d'orfèvrerie.
Les thèmes les plus généralement traités dans
les portails, comme à Autun, Beaulieu, Conques
ou Moissac, sont ceux du Jugement dernier, de la
Rédemption et de la vision finale de l'Apocalypse,
mais avec des nuances importantes. À Moissac,
le tétramorphe (le Christ entouré des quatre
évangélistes) est encadré des vingt-quatre vieillards

de l'Apocalypse ; à Vézelay, le thème est amplifié par celui de la Pentecôte ; à Conques, les scènes de l'enfer et celles consacrées à sainte Foy donnent une dimension plus harmonieuse. À cette diversité sur un thème initial, il faut ajouter d'autres qui obéissent à une volonté spécifique, un choix dont la portée n'est pas toujours évidente, comme l'Ascension au tympan de Saint-Sernin de Toulouse, amplifiée sur toute la façade à la cathédrale d'Angoulême.

À la cathédrale de Vérone (à gauche), le maître d'ouvrage a fait appel, vers 1133, à Niccolo, élève de Wiligelmo, pour représenter les prophètes du portail. Le sculpteur les a taillés dans des blocs de pierre en délit avant de les intégrer dans la maçonnerie.

Rattaché en 1047 à Cluny, Moissac était un monastère plutôt modeste de l'ordre clunisien. Pourtant son portail est sans doute la réalisation la plus ambitieuse et la plus remarquable de l'Europe romane. C'est l'abbé Roger (1115-1131) qui fit réaliser dans un premier temps une église à file de coupoles et dans un deuxième temps l'immense portail situé sur le côté sud. Le tympan (ci-contre), de 5,63 mètres de diamètre, est constitué de vingt-huit blocs de pierre assemblés après avoir été sculptés. Il traduit en image la Vision apocalyptique de saint Jean dans une synthèse remarquable.

"Et voici un trône se dressait dans le ciel, et, siégeait sur le trône, quelqu'un. […] Une gloire nimbait le trône de reflets d'émeraude. Autour du trône vingt-quatre vieillards siégeaient vêtus de blanc, et sur leurs têtes, des couronnes d'or. […] Devant le trône, comme une mer limpide, semblable à du cristal. Au milieu du trône et l'entourant, quatre animaux […]. Le premier animal ressemblait à un lion, le deuxième à un jeune taureau, le troisième avait comme une face humaine et le quatrième semblait un aigle en plein vol.**"**
Apocalypse 4, 2-7

La signification du portail doit également prendre en compte les vantaux de la porte, généralement historiés. En bois ou en bronze, rares sont ceux qui subsistent encore alors que l'on sait qu'il en existait déjà dans l'Antiquité – de bois à Sainte-Sabine à Rome au Ve siècle, de bronze à Byzance. Vers 1065, le commanditaire de ceux de Sainte-Marie-au-Capitole à Cologne s'est inspiré de la première, avec un développement substantiel des scènes narratives. Quant aux portes de bronze, l'abbé Didier en a donné l'exemple en Italie qui est suivi durant une grande partie du XIIe siècle (Canossa, Monreale, Pise).

L'image pour les moines

L'image est introduite aussi à l'intérieur des monastères. Généralement, la sculpture historiée se réduit aux chapiteaux. Elle pouvait s'étendre aux piliers, comme à Moissac, avec la figuration d'apôtres en pied, et celle plus inattendue de l'abbé Durand de Bredons (1048-1072). À Saint-Sernin de Toulouse, le décor a été étendu à la salle capitulaire de la cathédrale, dont les ébrasements sont occupés par des statues-colonnes.

Dans son *Apologie à Guillaume de Saint-Thierry*, Bernard de Clairvaux s'élève contre « ces grotesques qui prêtent à rire, ces beautés d'une étonnante monstruosité, ou ces monstres d'une étonnante beauté » qui divertissent les religieux durant leur lecture. Il établit

ainsi une distinction claire avec les sculptures destinées aux fidèles dont il faut « encourager la dévotion [...] par des beautés matérielles puisqu'ils ne le peuvent par des beautés spirituelles ». L'attaque violente de Bernard prend pour cible la sculpture des chapiteaux qui sert souvent d'exutoire à l'imagination des sculpteurs romans. Au contraire de ce que l'on a pu prétendre, sa leçon a été entendue et ces « images » ont entièrement disparu à Saint-Denis lors de la reconstruction du cloître (avant 1137) et ensuite de l'abbatiale.

L'image s'est introduite dès 1100 à Moissac (ci-dessous) dans la partie réservée aux religieux, le cloître : dans les piliers d'angle sont enchâssées des sculptures réalisées sur des cuves en marbre de sarcophages antiques (page de gauche, l'abbé Durand de Bredons) et les chapiteaux sont historiés. Dans le cloître de la cathédrale Saint-Étienne de Toulouse, ce ne sont plus des scènes isolées, mais un récit continu qui est raconté sur les chapiteaux (à gauche, l'histoire de la mort de saint Jean-Baptiste avec la danse de Salomé devant Hérode).

D ans le domaine de la création, les maîtres d'ouvrage, religieux et laïcs, ont dû concevoir des programmes inédits résultant de l'évolution de la société. Ils ont dû s'enquérir de trouver des créateurs pour donner forme à leurs projets. Encore peu nombreux autour de l'an mille, ceux-ci doivent réapprendre des techniques pour faire face à une commande qui n'a jamais été aussi abondante ni spécifique. Il leur faut alors relever un défi : joindre la technique, *peritia*, à la beauté, *venustas*.

CHAPITRE 4

LES CRÉATEURS DE L'ART ROMAN

C'est au plus grand peintre contemporain, resté anonyme, qu'est confié en 1123 le Christ en majesté de Saint-Clément de Tahüll, en Catalogne (à gauche), alors que le reste de l'église est exécuté par un artiste local. Les créateurs du début du XIIe siècle sont totalement maîtres de leurs techniques : à droite, des tailleurs de pierre.

Peritia et *venustas*

L'habileté seule ne suffit pas aux commanditaires qui adhèrent à la conception antique de l'acte créateur. Une forme ne peut se suffire à elle-même, mais doit aussi séduire pour atteindre sa pleine efficacité. Dans un monde chrétien qui a intégré, grâce aux Pères de l'Église, la pensée grecque relayée par les philosophes romains, l'esprit domine l'activité humaine. La main ne peut lui échapper, elle doit lui obéir pour réaliser l'œuvre d'art. Cette exigence qualitative imprègne également les différents domaines de l'activité humaine, dont l'écrit, comme en témoignent les romans du XIIᵉ siècle. Elle est encore plus indispensable dans tout ce qui relève du domaine religieux. Les témoignages écrits insistent à de multiples reprises sur l'accord entre excellence du matériau, perfection technique, la *peritia*, et beauté formelle, la *venustas*.

Le créateur roman, un « artiste »

L'exigence des commanditaires a de multiples conséquences grâce auxquelles cette Europe romane peut se doter d'une communauté artistique qui va bien au-delà des frontières régionales et de ces « écoles romanes » architecturales dans lesquelles on voudra l'enfermer au XIXᵉ siècle. La création européenne relève en fait d'une pensée identique, politique dans le domaine civil, spirituelle dans celui de l'Église. Elle apparaît alors comme une symbiose étroite entre les commanditaires et les créateurs, ce qui revient à poser le statut du créateur roman, qui ne peut se réduire à un simple exécutant aux ordres d'un commanditaire exigeant.

Taillés dans le marbre de sarcophages antiques par Bernard Gilduin, ou sous sa direction, les sept personnages de Saint-Sernin en gardent le style hiératique (ci-dessous, un ange).

L'œuvre accomplie dans l'ensemble de l'Europe impose l'image d'un créateur à la personnalité forte, sûr de lui-même, maître de son art et inventeur de formes inédites qui vont bien au-delà d'une imitation du passé. On a hésité depuis la Renaissance à lui reconnaître le nom d'« artiste », qu'on réservait alors aux maîtres de l'Antiquité et à ceux de l'époque contemporaine. Est-ce à dire qu'il n'avait pas la puissance imaginative d'un sculpteur grec, d'un peintre romain, ou d'un grand architecte de la Renaissance ? Il est temps de réhabiliter l'architecte de la nef de l'abbatiale de Vézelay, le sculpteur du tympan d'Autun, Gislebertus, le peintre de Nohant-Vicq, qui occupent une place enviable dans le musée imaginaire des plus grands chefs-d'œuvre de l'humanité.

L'anonymat et la professionnalisation des créateurs

Certes, ces créateurs sont le plus souvent restés anonymes et les quelques noms connus ne témoignent pas toujours de leur génie. Cet anonymat ne doit pas conduire à les déprécier, d'autant plus que l'image qu'ils donnent de leur époque nous est parvenue aujourd'hui de façon très fragmentaire. Ils vivent au rythme de la société qui est la leur. Les débats religieux, politiques

Gislebertus a composé et réalisé avec génie à Autun la scène de la Tentation d'Adam par Ève. Elle faisait partie du linteau placé sur le portail nord de la cathédrale, par lequel les pèlerins accédaient à l'autel-sépulcre de saint Lazare. Mutilée en 1766 comme l'autel-sépulcre, cette scène est incomplète : Adam et Satan ont disparu, reste Ève, premier nu féminin médiéval. Murmurant à Adam des paroles de tentation, elle cueille la pomme dans un arbre que Satan incline vers elle. À l'origine les yeux étaient colorés pour accentuer la vivacité du visage.

et humains ne peuvent les laisser indifférents, eux qui approchent les grands de ce monde.

Ils se trouvent au cœur d'une société qui a vu son horizon s'élargir considérablement. Il faut les imaginer avides de grandes commandes, prêts à parcourir le monde par curiosité et par goût de la nouveauté, attirés par l'audace des commanditaires sur des chantiers exceptionnels, comme l'abbé Didier à l'abbaye du Mont-Cassin. Certains d'entre eux sont également devenus si réputés qu'on admet qu'ils inscrivent leur nom sur leur chef-d'œuvre pour que leur mémoire s'impose aux temps futurs.

À tout cela s'ajoute la grande diversité des acteurs de cette création. Grâce à leur génie, la condition de nombre d'entre eux se clarifie au cours du XIIᵉ siècle, ayant gagné petit à petit une certaine autonomie, même si d'autres restent plus attachés à la tradition héritée de l'époque carolingienne.

De façon assez générale, le mouvement de professionnalisation esquissé autour de l'an mille se poursuit. L'ampleur des commandes et leur nombre imposent des méthodes d'organisation du travail et de répartition des tâches qui ont déjà prévalu à l'époque antique et qui doivent être réinventées. Dans ce contexte, les architectes et les enlumineurs conquièrent ou reconquièrent une place prépondérante.

L'architecte

Durant cette période d'activité architecturale intense, le maître d'œuvre retrouve la plénitude de ses responsabilités. Les termes utilisés dans

Ce triptyque d'Alton Towers (43 x 37 cm), dont l'origine reste inconnue, est d'une technique d'inspiration mosane. L'iconographie des volets porte sur des scènes de l'Ancien Testament (à gauche, le Sacrifice d'Isaac, le Léviathan, Jonas ; à droite, Moïse, Samson, Élisée), qui annoncent les épisodes du Nouveau Testament, traités dans la partie centrale (la Crucifixion encadrée de la Descente aux limbes et de la Résurrection).

les chroniques contemporaines restent très flous. Aucun ne correspond à ce que l'on désigne aujourd'hui comme « architecte », c'est-à-dire concepteur du projet, conducteur de l'entreprise et coordinateur des différents corps de métier, et la confusion est permanente entre maître d'ouvrage et maître d'œuvre. Pourtant, l'analyse des édifices majeurs nous assure de la présence de personnalités très fortes, mais souvent restées anonymes.

La composition de la broderie de la Création (ci-dessus) s'organise sur le Christ situé dans un médaillon central, entouré de scènes de la Création du monde. Dans les angles, les vertus cardinales; dans la bordure, la figuration de l'année entourée des mois et des saisons. Une iconographie qui se retrouve ailleurs, sur les mosaïques de pavement ou pariétales.

Ci-contre, la distinction des fonctions est manifeste : le scribe est un moine (à gauche) et le peintre, un laïc (à droite).

Les quelques noms qui nous sont parvenus ne nous assurent pas toujours du rôle qui était le leur. Ainsi celui de Lanfranc, à la cathédrale de Modène, n'apparaît que dans une inscription commémorative. Il n'y a en revanche pas d'hésitation pour Bernard le Vieux, un architecte français qualifié de « maître génial », appelé en 1078 par l'évêque Diego Peláez pour la nouvelle cathédrale de Saint-Jacques de Compostelle avec son collaborateur et « environ cinquante lapicides ». Il semble en effet que, outre celui de l'architecte, le concours d'une équipe importante de professionnels ait été jugé indispensable.

À Tournus (en haut), le défi de lancer des voûtes de pierre sur des murs soutenant au départ une charpente a été relevé grâce à des arcs-doubleaux portant une succession de berceaux transversaux. Les voûtes ne s'appuient donc pas sur les murs et laissent passer la lumière des fenêtres hautes d'origine (dans la partie droite, la nef de 7 m de large ; à gauche, le collatéral).

Les défis de l'architecte

Dès l'extrême fin du XIe siècle, les maîtres d'ouvrage exigent que les architectes relèvent une succession de défis, le premier étant d'étendre à l'ensemble de l'édifice de culte, et donc au vaisseau central, le couvrement de pierre, jusqu'alors réservé à l'abside et aux collatéraux.

Les basiliques constantiniennes du IVe siècle disposaient d'un vaisseau central charpenté de 10 mètres de large pour les plus modestes mais jusqu'à 24 mètres à Saint-Pierre de Rome. Les collatéraux, quand ils étaient voûtés d'arêtes, ne dépassaient pas 4 à 5 mètres. Les premières tentatives romanes pour passer de la charpente au couvrement de pierre se révèlent assez décevantes. À Saint-Michel de Cuxa, la référence en ce domaine, la voûte en plein cintre ne fait que 3,60 mètres de large.

Pour faire plus large et plus haut, il fallait imaginer des solutions nouvelles. Afin de supporter le poids des voûtes de pierre, alors très lourdes car en blocage, en plein cintre, formant un berceau continu ou brisé, les maîtres d'œuvre commencent, à la fin du XIe siècle, par épaissir considérablement la maçonnerie, abandonner les baies hautes et donc l'éclairage direct, porter les murs sur des piliers massifs, et enfin, pour empêcher la voûte de se déverser, ils imaginent de la contre-buter par des tribunes à l'intérieur et par des contreforts extérieurs. Mais ces précautions ne suffisent pas à dépasser la largeur du modèle charpenté : 6 mètres à Saint-Savin, 8,10 mètres à Compostelle, 8,80 mètres à Saint-Sernin de Toulouse.

Pour aller au-delà, il faut faire appel à des techniques plus sophistiquées encore. Ainsi en 1120, à la Madeleine de Vézelay, pour atteindre 10 mètres avec une voûte en plein cintre, une élévation à deux niveaux sans tribune mais avec d'immenses baies, l'architecte tend en travers

À la Madeleine de Vézelay (page de gauche, en bas), l'architecte a imaginé de lancer une voûte en plein cintre portée par des arcs-doubleaux reposant sur des supports en forte saillie sur les murs. Il a ménagé cette voûte de façon à permettre que la lumière des grandes baies percées dans les murs s'y réfléchisse et puisse ainsi mieux se diffuser.

Pour empêcher le renversement des murs sous la poussée de la voûte, il a tendu des tirants de métal en travers du vaisseau central à partir de crochets (1) situés au-dessus du tailloir des chapiteaux et retenus par des longrines de bois (2) placées dans la maçonnerie (ci-dessus, relevé par Viollet-le-Duc). Il a ainsi réussi à couvrir, en 1120, un espace large de 10 mètres et à l'éclairer.

du vaisseau central des tirants de métal – dont il subsiste encore les crochets au-dessus des chapiteaux –, lance des arcs-doubleaux retombant sur des supports en forte saillie sur les murs et développe les contreforts extérieurs. L'aménagement de lunettes dans la voûte assure la diffusion de la lumière. À cette réussite technique s'ajoute une réussite esthétique non moins exceptionnelle, grâce à un traitement de la lumière d'une rare subtilité.

Les églises « à file de coupoles »

C'est à la même époque qu'est inventée l'église « à file de coupoles » pour répondre aux mêmes exigences spatiales du commanditaire. Le vaisseau unique est couvert d'une série de coupoles portées chacune par quatre supports de maçonnerie en saillie sur les murs latéraux. Ces derniers, devenus cloisons non porteuses, peuvent être aisément percés de baies dans leur partie supérieure. Sans doute apparu pour la première fois à la cathédrale de Périgueux en 1110, ce principe de dissociation des différents éléments constitutifs sera porté dès la génération suivante à son plus haut niveau technique. À Périgueux, la construction des lourdes voûtes en blocage, faites de pierres grossières liées avec du mortier, exige des échafaudages qui partent du sol. À la cathédrale d'Angoulême, à l'abbatiale de Fontevrault et dans bien d'autres édifices, les coupoles et les trompes qui assurent le passage du carré au cercle sont appareillées avec des pierres parfaitement taillées : la construction des coupoles ne nécessite alors plus d'échafaudages lourds ; celles-ci se révèlent plus faciles à monter et la dissociation des maçonneries est mieux assurée. Pour la première fois, l'architecte peut concevoir des espaces intérieurs aussi larges que ceux de l'Antiquité tardive : 14 mètres à l'abbatiale de Solignac, 20 mètres à la cathédrale de Cahors. Il y eut d'autres essais,

C'est vers 1120 que les architectes ont perfectionné la technique de construction des églises à nef unique couverte d'une série de coupoles. Elles étaient jusqu'alors en blocage et furent dorénavant réalisées en appareil. Ainsi les pierres, taillées suivant des gabarits, furent placées en lits horizontaux dans la coupole et dans les pendentifs. C'est donc les supports en forte saillie sur les murs, dissociés de l'enveloppe, qui portent le poids de la coupole et non les murs latéraux (ci-contre, la cathédrale Saint-Pierre, à Angoulême; à gauche, en bas, élévation des deux premières travées de l'édifice). Ainsi, les murs latéraux ont reçu à la partie inférieure un décor d'arcades, tandis que leur partie supérieure, réduite en épaisseur pour ménager un passage qui se prolonge derrière les supports, a pu être percée de baies. À Saint-Pierre d'Angoulême, l'architecte a ainsi couvert un vaisseau central de 15,20 mètres de large et assuré la diffusion de la lumière.

mais sans lendemain, comme à Saint-Ours de Loches, avec la création de « dubes », sorte de couvrement de pierre en forme de pyramide dont la construction était particulièrement délicate.

La généralisation des voûtes de pierre

Nombre de monuments déjà construits ou en cours de construction sont modifiés pour être adaptés à cette demande nouvelle qui paraît, en France du moins, très impérieuse. Ainsi à Notre-Dame de Fleury et à Cluny, les voûtes de pierre sont montées sur des murs minces destinés à l'origine à porter une charpente légère. Il s'ensuit parfois des drames, comme à Cluny où une voûte s'effondre (1125).

Pour contourner cette difficulté, l'architecte de Saint-Philibert de Tournus imagine de lancer en travers du vaisseau central une série de berceaux transversaux venant reposer sur des doubleaux, réussissant ainsi à conserver l'éclairage direct d'une nef qui était jusqu'alors charpentée.

C'est également à la même époque qu'est inventé un nouveau système de couvrement qui connaîtra, à la génération suivante avec l'architecture gothique, une diffusion remarquable : la croisée d'ogives. Les voûtes sont soulagées par des arcs se croisant sur une clé. La présence d'un arc formeret le long des murs latéraux offre l'avantage de ne pas faire porter le poids des voûtes sur ceux-ci et de conserver l'éclairage direct, comme à Tournus. Les abbatiales de Caen et la cathédrale de Durham en Angleterre en sont les plus anciens témoignages.

L'art de la coupe des pierres : la « stéréotomie »

La qualité de la taille de la pierre est l'une des préoccupations constantes des maîtres d'ouvrage

À la fin du XIIe siècle, sur les chantiers de la Provence, il fut décidé d'avoir recours à des gabarits pour tailler la pierre. Ainsi, les constructions étaient si bien appareillées que des formes circulaires ou hélicoïdales pouvaient être réalisées. La crypte de Montmajour (à gauche) et la vis de Saint-Gilles du Gard (ci-dessus) sont de telles réussites techniques qu'elles ont provoqué, à la Renaissance, l'admiration des architectes qui s'en inspiraient pensant avoir affaire à une architecture antique.

et des maîtres d'œuvre depuis l'an mille. Les chroniqueurs contemporains en témoignent souvent dans leurs écrits en évoquant les pierres taillées à angle vif dans des édifices exceptionnels, tels Saint-Remi de Reims, Saint-Jacques de Compostelle ou à Vézelay.

Une étape est franchie lors de la construction de coupoles appareillées. Si la construction s'en trouve facilitée, le travail préliminaire est beaucoup plus lourd. Pour obtenir des surfaces courbes, il est indispensable de tailler la pierre suivant un schéma précis. L'architecte doit donc fournir aux tailleurs et aux maçons des épures et des gabarits. Aucune trace de ces dessins ne nous est parvenue, mais leur existence s'impose à l'analyse des édifices les plus élaborés. De plus, il faut tailler chaque pierre sur toutes ses faces, soit par équarrissage soit par taille directe, et ainsi éviter que le maçon se trouve contraint, au sommet de son échafaudage, de retailler la pierre qui lui a été livrée.

Dès le milieu du XIe siècle, dans l'Empire ou en France, les architectes retrouvent ainsi la plénitude de leur métier : capables de faire la synthèse d'un projet, ils ont montré qu'ils sont à même de diriger les différents corps de métiers présents sur un chantier et de tenir les délais et les coûts. Les maîtres d'ouvrage leur confient rapidement le soin d'intervenir dans les domaines étroitement liés à l'architecture : le décor monumental, la peinture, le vitrail et la sculpture.

Rien n'interdit d'imaginer que leur pouvoir se fût étendu à d'autres domaines, mais il en est un qui leur a échappé : le livre.

La cathédrale de Durham avait été conçue en 1093 par l'évêque Guillaume de Saint-Calais, d'origine normande, avec des voûtes d'ogives sur les collatéraux et une charpente sur le vaisseau central de 12 mètres de large. Vers 1120, il fut décidé de remplacer le bois par un couvrement de pierre en faisant retomber les ogives non pas sur les supports destinés à porter les doubleaux, mais sur des consoles indépendantes et intégrées dans la maçonnerie. L'architecte, grâce à ce subterfuge, a réussi à conserver l'éclairage direct du vaisseau central (ci-dessous, vue de la nef de Durham et de ses voûtes d'ogives).

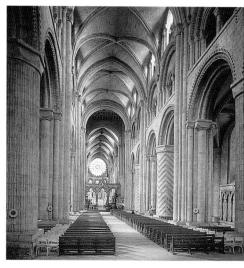

La professionnalisation du métier d'enlumineur

Le livre permet de répondre à des questions qui restent sans réponse dans d'autres domaines car il a fait l'objet d'études précises qui en retracent les différentes étapes, la répartition des tâches et enfin la professionnalisation. En un siècle, un siècle et demi, suivant les régions, le mode de production hérité de l'époque carolingienne est profondément modifié, pour ne pas dire révolutionné, pour des raisons quantitatives, qualitatives et de coûts.

À partir du milieu du XIIe siècle, le style des enluminures met en évidence la présence de peintres qui ne peuvent se confondre avec les scribes. Ainsi, le créateur Hugues, dont on sait qu'il a réalisé des œuvres de métal, est le laïc qui a enluminé la Bible de Bury St. Edmunds vers 1135. On y décèle sa formation anglaise. La partie inférieure d'une enluminure représentant saint Grégoire figure un religieux, le scribe, et deux laïcs, le peintre Hildebert et son adjoint.

De façon assez générale, dès que le commanditaire veut un ouvrage de grande qualité, il fait appel à un professionnel laïc. Bientôt, même les religieux font appel à des copistes laïcs, comme l'abbé de Corbie à un certain Jean, originaire d'Amiens (entre 1150 et 1185). Les enlumineurs les plus doués ne deviennent pas itinérants, comme on a pu le dire, mais, connus grâce au réseau monastique, ils peuvent être appelés pour d'autres commandes. La création des grandes

L'exécution des bibles, les plus gros livres médiévaux, était coûteuse, en parchemin – très cher –, en temps – quatre ans pour celle de Stavelot –, en hommes – scribes et peintres se relayaient. Pour réduire les coûts et la durée, le travail fut méticuleusement organisé. Grâce à certains manuscrits inachevés, dont la Bible de Winchester (ci-dessus et à droite), on peut suivre les étapes de la réalisation des enluminures.

bibles illustrées dans la seconde moitié du XIIᵉ siècle aboutit même à déléguer à l'enlumineur la maîtrise de l'entreprise, ainsi pour la Bible de Sainte-Geneviève, Manerius, un Anglais, engage quatre autres peintres.

La Bible de Winchester, commencée au XIIᵉ siècle, a été laissée inachevée, ce qui permet de saisir les différentes étapes de sa réalisation : la place laissée aux peintres y a été définie par le scribe qui est intervenu le premier, réalisant le dessin préliminaire à la pointe sèche ; la feuille d'or a été posée avant que le peintre ne plaçât ses couleurs et ne les modelât avec des rehauts de blanc. Cette organisation du travail, dans un secteur en principe réservé jusqu'alors aux religieux, invite à s'interroger sur celle des autres corps de métier.

Les relations du sculpteur avec l'architecte

Le métier traditionnel du sculpteur réalisant des sarcophages, des chapiteaux et des *antependia* se modifie profondément lorsqu'il s'agit de sculpter des ensembles tels que des portails, selon des programmes dictés par le maître d'ouvrage. L'architecte doit concevoir la composition générale

Pour les bibles de la seconde moitié du XIIᵉ siècle, telle celle de Winchester, le parchemin était préparé pour l'écriture, qui imposait la composition de la page, l'emplacement et l'importance des scènes. D'où parfois des plaintes du peintre dans les marges : « Les images ne sont pas à leur bonne place »… L'esquisse du dessin est soulignée et renforcée à la plume. Ensuite l'or est appliqué et bruni, c'est-à-dire poli pour être brillant. Le peintre intervient alors en utilisant les couleurs posées en aplats les unes après les autres. Il termine par des traits de plume, en jouant sur les coloris, en ajoutant des rehauts de blanc pour créer des éclats de lumière.

du portail avec le sculpteur. Les éléments sculptés sont dissociés de la maçonnerie. Pour ce faire, l'architecte lance des voussures qui permettent au tympan, alors placé « en tiroir », de ne pas porter la structure. Ainsi le tympan de la porte Miegeville, à Saint-Sernin de Toulouse, est taillé, vers 1100, dans cinq dalles de calcaire, dans un style monumental et avec une grande liberté de mouvement des personnages adaptée à la scène de l'Ascension. À compter de cette période, le tympan s'impose comme une composante essentielle du portail, en France d'abord, plus tardivement dans le reste de l'Europe.

Les exemples italiens témoignent d'un certain relâchement dans la composition. La façade de Saint-Zénon, à Vérone, est d'un dessin admirable et d'un équilibre remarquable, mais les sculptures ont été réparties de part et d'autre du baldaquin central sans ordre apparent. Il est vraisemblable que l'absence de collaboration entre architecte et sculpteur en est la cause, comme à la cathédrale de Fidenza où les différents morceaux sont pourtant d'une extraordinaire beauté. Le portail de l'église Santa María de Ripoll est l'un des plus ambitieux qui soient exécutés en Catalogne, avec un programme organisé en registres mais dont la qualité plastique n'est pas celle que l'on aurait pu

À la cathédrale de Fidenza (ci-dessus), l'architecte a dessiné la façade en s'appuyant sur le parti traditionnel inspiré de l'arc de triomphe, comme à Modène et à Parme. Ensuite, les sculptures ont été insérées dans la maçonnerie indépendamment du schéma d'ensemble, d'où le manque de cohérence.

souhaiter. Dans l'Empire, il faut attendre le début du XIIIᵉ siècle pour que le portail sculpté soit introduit par un architecte qui connaît sans aucun doute les portails gothiques français, mais les sculpteurs de Bâle, Freiberg ou Ratisbonne restent attachés à la stylistique romane.

Le portail intérieur de Vézelay offre un montage particulier qui n'est certainement pas celui qui a été prévu à l'origine. On a émis l'hypothèse d'un changement de programme en cours d'exécution, alors que les autres portails du nord de la France comme du Midi offrent au contraire une intégration remarquable à l'architecture. Celui de Saint-Gilles du Gard, dans le troisième quart du XIIᵉ siècle, est le fruit d'une exceptionnelle collaboration entre l'architecte et le sculpteur : la composition, inspirée du fond de scène d'un théâtre antique, a imposé l'intégration des sculptures en pied suivant un parti très rigoureux.

La dimension des portails et des tympans nécessite une organisation nouvelle du travail. L'analyse détaillée de Vézelay, d'Autun, de Moissac suggère un travail très élaboré en amont de l'exécution. Il ne peut s'agir, comme on l'a cru, d'une taille directe, mais d'un travail préalable en atelier, à partir de dessins et de maquettes. Il devait

L'architecte de Saint-Gilles du Gard a conservé le schéma antique de l'arc de triomphe, mais a lié les trois portails entre eux par des frises sculptées et a créé plusieurs plans grâce à l'emploi de colonnes de marbre. Il a ensuite placé les statues par groupes de deux sur le fond du mur et sur les retours (ci-dessus).

s'agir, pour ces dernières, de maquettes de plâtre à échelle réduite d'abord, à dimension d'exécution ensuite, découpées en autant de fragments que les dalles afin de les répartir entre les différents sculpteurs. Ces *bozetti*, ou maquettes à grandeur, n'ont rien pour surprendre les sculpteurs car ils sont habituels lors de la fonte en bronze. Le responsable de l'atelier de sculpture, qui est chargé de l'exécution des modèles et qui en supervise la taille à grandeur, doit tailler lui-même les personnages ou les parties les plus importantes de la scène. On peut ainsi tenir les délais exigés par le maître d'ouvrage. La mise en place des dalles – vingt-huit à Autun – est conduite par l'architecte, avec le sculpteur. La finition peut alors être effectuée sur place pour assurer la cohérence des liaisons des dalles.

Les maîtres de la sculpture

La majeure partie de la production sculptée romane se distingue par l'anonymat des créateurs. Il existe néanmoins un certain nombre de signatures gravées sur des œuvres, mais il s'agit généralement de productions secondaires. Certaines au contraire témoignent de la présence d'un grand sculpteur : « Raymond de Bianya m'a fait et je serai statue » au cloître d'Elne, « Gilabert qui n'est pas un inconnu m'a sculpté » à l'ancienne salle capitulaire de la cathédrale de Toulouse. Le tympan de la cathédrale d'Autun, sur lequel on peut lire « *Gislebertus hoc fecit* », est devenu le symbole de la création plastique

Ci-dessus, dans le linteau du tympan d'Autun, saint Michel sépare les morts sortant de leurs sarcophages : les bons à sa droite, les méchants à sa gauche. Ce style lyrique est caractéristique du sculpteur Gislebertus, qui a signé son œuvre au-dessus de cette scène et sous les pieds du Christ : « Gislebertus m'a fait ».

médiévale par son audace dans le traitement des formes et par son lyrisme. Mais on s'interroge à juste titre sur la carrière de son créateur : selon des études comparatives, il aurait débuté à Vézelay au tympan du portail occidental, aujourd'hui déposé, et se serait ensuite rendu à Autun où il aurait exécuté le tympan, les chapiteaux de la nef de la cathédrale et le portail nord, démonté en 1766.

D'autres carrières ont pu être retracées qui se sont étendues sur une longue période. Bernard Gilduin, connu grâce à la table d'autel de Saint-Sernin de Toulouse, a conduit une révolution stylistique dont on trouve les échos sur les grands chantiers du Midi, ainsi au cloître de Moissac avant 1100, à la porte Miegeville à Saint-Sernin de Toulouse vers 1110, à Saint-Jacques de Compostelle enfin. Le « Maître de Cluny », responsable des chapiteaux du déambulatoire de l'abbatiale en 1115, se serait rendu ensuite à Vézelay pour réaliser le tympan de la nef en 1120, accompagné d'autres sculpteurs dont certains se seraient retrouvés au portail royal de Chartres en 1145. De façon moins convaincante, la carrière du « Maître de Cabestany » se serait

L'auteur du vaste ensemble réalisé en 1178 pour la cathédrale de Parme et composé d'un autel, d'ambons et de *La Déposition de Croix* (1,10 x 2,30 m, ci-contre) a pu être identifié par la magnifique inscription gravée sur la face : « Benedetto Antelami fut le sculpteur et l'acheva ». *Antelami* signifie « architecte » ; ainsi, c'est bien dans un double rôle qu'il a conçu et réalisé cet ensemble. La fonction de ces architectes de père en fils est devenue leur nom de famille.

Le « Maître de Cabestany » a produit des sculptures marquées par sa forte personnalité et sa connaissance de l'art romain du IVe siècle. Ainsi, la sculpture de marbre ci-dessous s'inspire de la tête monumentale de Constantin.

étendue à une grande partie de l'Europe méridionale : Roussillon, Aude, Catalogne, Novare, Toscane. Au cours de ces périples, certains de ces créateurs ont pu se rencontrer, échanger des idées comme le « Maître de Cluny » et Gislebertus d'Autun. Certains ont pu être bouleversés par ce qu'ils découvraient. On l'imagine aisément pour Antelami qui réalise, à Parme en 1178, *La Déposition de Croix* et plus de quinze ans après les sculptures du baptistère. Entre-temps, il a dû voyager, peut-être dans le midi de la France, appelé sur d'autres chantiers ou par simple curiosité. Quoi qu'il en soit, il a évolué et les figures du baptistère de Parme témoignent d'une conception renouvelée de son style.

Orfèvres et fondeurs

La répartition des tâches s'impose également dans les techniques qui relèvent du métal, fonte ou repoussé, champlevé ou cloisonné dans l'émaillerie. Les différentes étapes de la création induisent une répartition entre professionnels dès lors que la demande devient abondante. L'exemple le plus révélateur concerne les fonts baptismaux de Liège, aujourd'hui à Saint-Barthélemy, commandés par Hellin, archidiacre de Notre-Dame (1107-1118) au fondeur Renier de Huy, bourgeois de Huy-sur-Meuse. La technique de la fonte est traditionnelle dans l'art campanaire, les cloches étant réalisées en une seule coulée et reparées à froid. Elle se singularise par une remarquable maîtrise dans les deux étapes, la seconde étant réalisée avec un soin particulier qui évoque l'art de l'orfèvre. Aucun document ne nous renseigne sur les artistes qui exécutaient la maquette à grandeur, en cire pour la fonte à cire

Les œuvres champlevées et émaillées étaient d'un prix relativement réduit par rapport à celles d'argent ou d'or ; de grands artistes étaient chargés de leur dessin et de leur polychromie. L'auteur de ce Christ de gloire, en multipliant les cloisons, a créé l'impression de volume à partir d'une plaque de cuivre de taille réduite (23,6 x 13,6 cm). Les verres colorés dans la masse ajoutent une note de préciosité qui rivalise avec les grands chefs-d'œuvre d'orfèvrerie.

perdue, en plâtre pour la fonte au sable. La maquette à grandeur, indispensable pour la fonte, l'est tout autant pour le repoussé. L'orfèvre a besoin de s'inspirer d'un modèle pour donner à la plaque de métal le volume souhaité et le style demandé.

Comme dans l'exemple des fonts baptismaux de Liège, les noms qui nous sont parvenus sont ceux du fondeur ou de l'orfèvre, jamais celui du créateur de la forme. Il est d'ailleurs frappant de constater la variété stylistique des œuvres réalisées à la même époque pour une même institution religieuse.

L'émaillerie mosane est caractérisée par une diversité de styles et un travail uniquement de commande. L'exemple de l'abbaye de Stavelot, dirigée par Wibald de 1130 à 1158, est très instructif à cet égard. L'abbé a passé commande d'un nombre très impressionnant de pièces d'orfèvrerie, certaines

La cuve baptismale de Liège (h. 60 cm, diam. 80 cm, ci-dessous) est l'un des chefs-d'œuvre du début du XIIᵉ siècle. Le sculpteur, anonyme, a réalisé la maquette en cire avec sa composition circulaire, le mouvement des personnages et le rythme solennel des attitudes ; c'est lui le créateur. Ensuite, c'est un fondeur de cloches, Renier de Huy, qui a été appelé pour couler le laiton. Après une fonte d'un seul tenant, la cuve a été réparée à froid pour faire disparaître les défauts de la fonte.

disparues mais connues par un dessin ou des fragments, d'autres conservées ; elles mettent en évidence cette diversité de styles. En revanche, l'émaillerie méridionale présente, comme le manuscrit, une organisation plus poussée encore du travail. Les plaques exécutées en champlevé ou les statuettes en relief destinées à être appliquées, produites en grand nombre dans des ateliers vraisemblablement installées à Limoges, doivent leur succès à leur prix relativement modeste comparé aux pièces de métal précieux. Il s'agit le plus souvent d'œuvres produites en série. Seules les deux plaques commandées pour l'autel de Grandmont, dont l'une figure Étienne de Muret et son disciple Hugues Lacerta, font exception.

Le maître verrier

Les plus anciens témoignages du vitrail sont bien antérieurs à la période romane ; certains appartiennent à l'époque carolingienne, d'autres sont même plus anciens, mais en nombre réduit. Sa généralisation n'a lieu qu'au XIIe siècle, pour clore les baies des édifices de culte les plus remarquables. Il en subsiste quelques exemples du milieu du XIIe siècle, comme celui de l'Ascension à la cathédrale du Mans, dont l'étude permet d'affirmer que l'organisation du métier est déjà celle qui sera pratiquée à l'époque gothique.

Le maître verrier passe commande à un créateur d'une maquette – un dessin à échelle réduite – pour définir l'iconographie. Il la fait ensuite réaliser à grandeur d'exécution, fait couper les verres à la dimension, qu'ils soient soufflés en manchon ou fabriqués en cive (par rotation) et colorés dans la masse, et enfin il les fait peindre par un artiste avant la mise en plomb. Ce travail réalisé par des ouvriers aux compétences bien définies permet de faire face à une demande qui est devenue gigantesque dès la construction des premiers édifices gothiques.

Le vitrail historié a été la création la plus originale du Moyen Âge. Les verres colorés dans la masse sont peints à la grisaille par les plus grands artistes contemporains, puis cuits au four et réunis par des plombs. Le vitrail a pour fonction de traiter la lumière en la colorant. Peu d'exemples du XIIe siècle nous sont parvenus, mais ils sont remarquables. L'Ascension de la cathédrale du Mans (1140-1145) a été conçu suivant un schéma chromatique d'opposition de rouges et de bleus, disposés en damier, sur lequel sont figurés la Vierge et les apôtres (à gauche). Le médaillon représentant Samson et les portes de Gaza (1180-1200), provenant de l'abbaye d'Alpirsbach, est moins audacieux dans le choix des couleurs et le style (ci-dessus).

Le peintre « monumental »

On sait qu'un grand nombre d'édifices ont été conçus pour être entièrement peints, comme Sant'Angelo in Formis en Italie ou Saint-Savin sur Gartempe en France.
De cette création, dont la qualité est indéniable, il ne nous reste que peu de chose. Aucun nom de peintre rendu illustre par une réalisation étonnante et qui aurait été appelé sur d'autres chantiers ne nous est parvenu. On est donc contraint d'aborder l'étude par des enquêtes régionales en France (Bourgogne, Centre-Ouest), en Espagne (Catalogne), ou en Italie (San Pietro al Monte de Civate et Sant'Angelo in Formis). Les noms des commanditaires sont tout aussi absents si l'on excepte cette dernière église, où une inscription et une peinture évoquent l'abbé Didier du Mont-Cassin (entre 1072 et 1087).

Quels sont les rapports entre l'enluminure et la peinture monumentale ? Les peintures de Berzé-la-Ville évoquent sans conteste l'enluminure clunisienne, mais peut-on pour autant affirmer qu'il s'agit là du même créateur, penché sur un parchemin pour réaliser des œuvres minutieuses ou monté sur un échafaudage pour brosser à larges traits de grandes peintures ? Les correspondances se retrouvent ailleurs dans l'Anjou ou en Catalogne, mais sans que l'on soit jamais assuré qu'il s'agissait de la même personne.

Des carrières ont pu être reconstituées avec plus de certitude, comme celles du « Maître de Tahüll »

L'artiste de l'église Saint-Martin de Nohant-Vicq, qui a réalisé la totalité de la peinture de l'édifice, est l'une des personnalités les plus attachantes par son style. Page de droite, en haut, vue du mur qui sépare la nef du sanctuaire ; en bas, le Baiser de Judas. Il échappe à la tradition par le mouvement des personnages, la composition en éventail des draperies et la gamme colorée, qui créent un rythme solennel.

qui se retrouve à Saint-Pierre de Roda (Espagne) ou du « Maître de Pedret » (Catalogne) qui est sans doute passé en Italie. Les peintres voyageaient d'abbaye en cathédrale, avec leur attirail, mais devaient trouver sur place l'intransportable, comme les échafaudages. On ignore s'ils se déplaçaient avec des compagnons comme Maître Bernard à Compostelle (même si cette hypothèse est vraisemblable) ou s'ils trouvaient les aides indispensables sur place.

Si l'on en juge par le style, la plupart des œuvres, aussi bien dans la peinture *a secco* (sur support sec) que dans celle *a fresco* (sur support humide), révèlent un attachement à la tradition sans que l'on puisse délimiter avec certitude ce qui appartient à l'époque carolingienne ou ce qui relève d'artistes byzantins

Page de gauche, peintures de Sant'Angelo in Formis.

ou formés dans la tradition byzantine, mais leur source est commune : l'art paléochrétien. Néanmoins, la personnalité de certains peintres est indéniable. Celui qui a peint la petite église de Nohant-Vicq, qui échappe à tout essai de classification, se révèle l'un des plus grands peintres romans. Dans un style diamétralement opposé, le « Maître de Tahüll » a créé des images d'une noble grandeur aux couleurs franches.

Roman et gothique, des voies parallèles

L'esthétique romane a mis près d'un demi-siècle pour être définie par des maîtres d'ouvrage et des maîtres d'œuvre désireux de donner un style à l'aventure qu'ils conduisaient. Il a fallu qu'ils se détachent peu à peu d'une tradition remontant à la reconnaissance du christianisme par l'empereur Constantin. Ils ne pouvaient y renoncer aisément tant les premiers monuments chrétiens avaient marqué l'Empire romain. Les souverains carolingiens s'étaient inscrits volontairement dans ce schéma et les maîtres d'ouvrage des Xe et XIe siècles leur étaient demeurés attachés. Il a fallu attendre l'apparition d'une nouvelle génération au cours de la seconde moitié du XIe siècle pour que la rupture fût consommée avec le passé au profit d'une stylistique en accord avec les aspirations contemporaines.

L'adhésion aux formes nouvelles se manifeste, suivant les pays, les régions et les hommes, de façon

À Saint-Trophime, à Arles, au 3e quart du XIIe siècle, architectes et sculpteurs ont collaboré pour réaliser un ensemble exceptionnel mis en valeur par l'opposition de la pierre claire et des marbres plus sombres (ci-dessus et à droite). Alors que le sud de l'Europe restait attaché au style roman, le Nord était engagé depuis près d'un siècle dans une voie nouvelle.

plus ou moins tardive. En Île-de-France,
où la tradition romane ne pesait guère, des êtres
audacieux ont imaginé, pour répondre à des besoins
spirituels et matériels nouveaux, une nouvelle
vision de la création dès les années 1130-1140.
Cette vision gothique s'imposera dans le reste
de l'Europe, un siècle plus tard, parce que les
aspirations y seront devenues identiques. Ce siècle
a vu la réalisation des plus beaux chefs-d'œuvre
romans dans la plupart des pays européens,
manifestant une maturité et une vitalité
remarquables, alors que les plus grandes cathédrales
gothiques étaient en cours de construction.

Page suivante : le
portail de Vézelay. Le
maître du tympan s'est
réservé la sculpture
du Christ, qui accueille
le fidèle dans l'édifice
de culte. Il a donné
à ce visage allongé une
sérénité surnaturelle
et au corps une
tension, en le figurant
le buste de face et les
jambes pliées vers la
gauche, avec les étoffes
du vêtement emportées
dans un tourbillon.

TÉMOIGNAGES
ET DOCUMENTS

L'art roman, définition et géographie

La découverte des ruines d'édifices romans a suscité en Angleterre et en France l'émotion des amateurs du XVIIIe siècle devant tant de beauté. Depuis deux siècles, les chercheurs se sont efforcés de comprendre le message des pierres mortes. Aujourd'hui, cette compréhension de l'art roman permet d'ouvrir de nouvelles voies à son interprétation.

La découverte de l'art roman a été une longue entreprise liée à la fois à des architectes du XVIe siècle comme Philibert Delorme qui a exécuté un relevé de la vis de Saint-Gilles, et à des historiens du XVIIe siècle et du XVIIIe siècle.

Ce n'est que très tardivement que l'intérêt s'est porté sur les périodes les plus anciennes du Moyen Âge. Séroux d'Argincourt (1730-1814) de formation historique qui publie en 1810 son Histoire de l'art par les monuments depuis sa décadence au IVe siècle jusqu'au renouvellement au XVIe siècle s'inscrit dans une démarche négative : comme Winkelman qui «a montré aux artistes ce qu'ils devaient imiter, moi je veux leur indiquer ce qu'ils doivent faire».

L'intérêt est relancé par de jeunes Normands, dont certains avaient émigré en Angleterre. Ils y ont découvert les recherches des amateurs anglais réunis dans la Société des antiquaires de Londres (1707). C'est dans cette revue que l'abbé de La Rue publie sa dissertation sur la broderie de la reine Mathilde. Charles de Gerville, naturaliste (1769-1853) émigré en 1793, avait découvert avec émotion les édifices en ruines à la suite de la sécularisation des biens du clergé décidée par Henri VIII en 1536 et 1539, et lu les principales

publications, comme Anglo-Norman Antiquities, d'Andrew-Coltee Ducarel (1767). Revenu sur son continent natal, il en étudie les édifices avant de publier les Monuments de la Manche (1810), reçoit Cotman qui prépare alors un ouvrage décisif : The Architectural Antiquities of Normands (Londres, 1810). La réaction normande contre cette appropriation du patrimoine architectural normand aboutit à un sursaut : «Debout, les Normands, debout pour reprendre aux Anglais le terroir conquis et relever le défi.»

Parmi eux, l'abbé de La Rue, Gerville, Auguste Le Prévost et le jeune Arcisse de Caumont, né en 1801 à Bayeux, qui avait alors terminé ses études de droit. Ces amateurs passionnés et sans formation historique échangeaient leurs impressions sur l'architecture du Cotentin. Gerville dans une lettre adressée à Le Prévost, propose de définir cette longue période qui suivit la décadence romaine comme «romane».

Ce qui n'était qu'une proposition fut rapidement admis, grâce à Arcisse de Caumont. Personnalité hors du commun, d'une activité qui se prolongea jusqu'à sa mort (1872), il décide d'échapper à la spéculation pure au profit de l'action. Il fonde une société linnéenne où il affirmait que les monuments devaient

*être étudiés selon la méthode
comparative, comme les espèces vivantes.
En 1823, il fonde la Société des
antiquaires de Normandie, chargée
de découvrir les anciens monuments
et de les protéger. Il y mettait en place
une méthodologie : datation grâce
aux monnaies et aux médailles, analyse
formelle grâce à l'architecte et
au sculpteur, étude de la technique
de construction par l'appel au géomètre
et au physicien, recherches sur l'origine
du matériau confiées au géologue,
enfin, représentation par le peintre.*

*L'Abécédaire ou rudiment
d'archéologie avec plusieurs éditions,
destiné au public amateur, mais aussi
«pour l'enseignement de cette science
[l'archéologie] dans les séminaires
et les maisons d'éducation des deux sexes»,
huit cents pages illustrées de plus de mille
figures, a assuré son rayonnement européen.*

*La première préoccupation d'Arcisse
de Caumont n'a pas été de définir
l'esthétique romane, mais de préciser
la création entre la fin de l'Antiquité
romaine et ce qu'il appelle le «style
ogival». L'adjectif «roman» est justifié par
la comparaison établie entre l'évolution
linguistique qui avait conduit du latin
au français. Le terme s'imposa aussitôt
au détriment des appellations jusque-là
usuelles de «lombarde», «saxonne»
ou «anglo-normande», première tentative
d'unification artistique de l'Europe.*

L'architecture des premiers siècles
du Moyen Âge offrait tous les caractères
de l'architecture romaine, dans un état
avancé de dégénérescence : nous la
désignons sous le nom d'*architecture
romane*. Le type roman a persisté
jusqu'au XIIᵉ siècle.

On peut diviser la période de six
siècles (du Vᵉ au XIIᵉ), à laquelle je donne
le nom de ROMANE, en trois époques

principales : la *première*, qui s'étend
depuis le Vᵉ siècle jusqu'au Xᵉ; la *seconde*,
qui commence à la fin du Xᵉ siècle
et se prolonge jusqu'à la fin du XIᵉ; la
troisième, qui comprend le XIIᵉ siècle.

Ce fut vers la fin du XIIᵉ siècle qu'une
grande révolution, dont il est facile de
suivre le cours, vint changer entièrement
l'architecture. L'arc en tiers-point,
appelé *ogive*, fut alors substitué au plein-
cintre roman; cette différence capitale
dans la forme des arcades, jointe
à plusieurs autres, établit un caractère
essentiellement distinctif entre
l'architecture romane et l'architecture
nouvelle, que je désigne par la
dénomination de *style ogival*.

Arcisse de Caumont,
Abécédaire ou rudiment d'archéologie,
Caen, 1850

Géographie de l'art roman

*Arcisse de Caumont s'efforça aussitôt
de définir «les caractères généraux
du roman secondaire dans les différentes
régions de France» tout en soulignant
les «caractères à peu près identiques».*

Ainsi les monuments normands du XIᵉ et
du XIIᵉ siècle, comparés à ceux du Poitou,
ces derniers comparés à ceux de la
Bourgogne et de l'Auvergne, offrent tous
des types généraux uniformes, les mêmes
principes de construction, mais avec
des différences dans la manière dont les
ornements sont traités; ces dissemblances
consisteront dans la prédominance de
telle ou telle sculpture, dans l'adoption
de certaines formes, de certaines
combinaisons habituelles dans une
province, plus rares ou insolites dans
d'autres; en un mot, dans une multitude
de détails qui ne frappent pas toujours
au premier abord, mais qu'un œil exercé
apprécie bientôt avec un peu d'attention.

Sans doute, il faut bien distinguer, dans ces divers systèmes, ce qui appartient à l'influence des matériaux de ce qui vient du goût et de l'habileté des sculpteurs. L'influence des matériaux a toujours été immense, et l'on conçoit qu'une pierre tendre, éclatant sous le moindre effort de l'outil, telle que la craie, n'a pas dû recevoir les mêmes sculptures que les pierres homogènes et d'une dureté moyenne, comme celles que l'on possède dans le Calvados, dans le Berry et dans plusieurs autres contrées. Le calcaire grossier, lardé de coquilles, ne pouvait être travaillé de la même manière que la pierre dont je viens de parler; enfin, le granite, si rebelle au ciseau, ne pouvait recevoir les mêmes moulures que les matériaux plus tendres. Ainsi, l'on conçoit que le même système d'ornementation, je dirai plus, que le même ornement sera quelquefois rendu tout différemment suivant la pierre que l'architecte aura mise en œuvre. Sur des matériaux à grain fin, d'une dureté moyenne, on a pu tracer des moulures dont les contours et les détails offraient une pureté de trait que l'on ne pouvait obtenir sur la pierre à gros grain : sur celle-ci, il fallait s'attacher moins à la pureté de trait qu'au relief et à l'effet général des moulures vues à distance. Ce peu de mots suffit pour exprimer ma pensée; le fait est d'ailleurs tellement palpable, qu'il n'a pas besoin de démonstration.

Il faut donc, dans la géographie des styles architectoniques et dans l'appréciation des dissemblances que présentent, sous ce rapport, les diverses provinces de France, tenir, avant tout, compte de l'influence des matériaux sur le choix des moulures et sur la manière de les traiter. Mais, après avoir accordé à cette influence toute l'importance qu'elle a eue sur l'état de l'art, il faut

aussi reconnaître des écoles diverses, des différences de goût et d'habileté, qui ne peuvent provenir d'aucune autre cause que des traditions d'école.

Arcisse de Caumont, *ibidem*

Caumont dessina une carte de France des «régions monumentales» tout en faisant observer qu'il s'agissait d'une esquisse qui devait être précisée grâce à l'indication de frontières. Il imaginait que la nature des matériaux tirés du sol serait à cet égard suffisante.

Carte des régions monumentales de la France au XIIᵉ siècle.

Un grand nombre d'historiens de l'architecture ont cherché à mieux préciser les limites territoriales des différentes régions stylistiques en France comme à l'étranger. Auguste Choisy, ingénieur de formation (1841-1902), a publié en 1899 en deux volumes une Histoire de l'architecture, *aujourd'hui encore une référence. Il y a repris la carte monumentale élaborée par Arcisse de Caumont, que d'autres spécialistes de l'art roman se sont efforcés à sa suite de compléter.*

Deshoulières, directeur adjoint de la Société française d'archéologie (mort en 1948), l'un des grands connaisseurs de l'architecture romane, a encore apporté un certain nombre de modifications en 1925.

Nous avons adopté la classification de Choisy pendant de longues années, après l'avoir cependant renforcée par l'école lombarde. Mais à la suite d'une plus minutieuse observation des monuments et pour des raisons qui se manifesteront d'elles-mêmes au cours des développements qui suivront, nous croyons aujourd'hui devoir répartir les églises romanes entre neuf écoles qui sont les suivantes :
1º École de l'Ile-de-France et de la Champagne;
2º École normande;
3º École lombardo-rhénane;
4º École de la Basse-Loire;
5º École du Sud-Ouest et du Poitou;
6º École d'Auvergne;
7º École de Bourgogne;
8º École provençale;
9º École de Languedoc.
    Deshoulières, in *Bulletin monumental*,
    Société française d'archéologie, 1925

Remise en cause des « écoles régionales »

Pierre Francastel a commencé sa carrière par un ouvrage particulièrement critique : L'humanisme roman. Critique des théories sur l'art du XIe siècle en France *(Rodez, 1942). Le chapitre premier est consacré au «problème des écoles romanes» en s'appuyant sur les remarques pertinentes de Jules Quicherat, dans* Mélanges d'archéologie et d'histoire *(t. II, Paris, 1886).*

L'étude de l'esprit roman ne saurait se fonder sur l'étude d'un folklore, puisque le morcellement roman, l'enracinement roman, consacrent l'immobilisation, la mort du système roman : la formation d'un art local consacre le triomphe d'un

certain nombre de formules sans en expliquer la genèse. On ne saurait expliquer un style par son académisme.
    La notion de région n'est pas moins susceptible d'interprétations nuancées. Les archéologues l'utilisent sans critique. Ils lui donnent parfois un sens purement géographique. Ils nous expliquent que la nature du sol, la qualité des matériaux, ont eu une action décisive sur les édifices. [...] Mais ceci ne concerne et n'explique, dans une certaine mesure, que les procédés de l'art, ce n'est pas l'art lui-même.
    Le plus souvent, on entend région dans le sens historique. On a déjà vu que, pour les uns, ce qui comptait c'était l'unité ecclésiastique, le diocèse; pour les autres, l'unité politique, la province. Il en est de ce critère comme de tous les autres : il explique tel ou tel aspect particulier de l'art roman, il permet de constituer telle ou telle série, plus ou moins large, plus ou moins étroite, il ne constitue pas le critère essentiel qu'on cherche en vain depuis des générations.
    Pas plus que les écoles d'architecture les provinces politiques ne sont une donnée, tout au moins une donnée permanente, de l'histoire. Parler de la Bourgogne ou de l'Auvergne ou de la Normandie, sans précision, est un non-sens. [...] ces termes [...] ne désignent, à l'origine, rien de précis. La Bourgogne du XIe siècle n'est pas celle du XIIe. [...] Qu'entendra-t-on par l'Auvergne? Sera-ce la Basse-Auvergne, le département actuel du Puy-de-Dôme? Ou bien y fera-t-on entrer la Haute-Auvergne, et le Velay? Suivant la réponse que l'on fera à cette question, la notion d'école d'Auvergne changera du tout au tout. On y comprendra ou non Conques et Le Puy.
    Pierre Francastel, *L'Humanisme roman.*
    Critique des théories sur l'art
    du XIe siècle en France, Rodez, 1942

La périodisation de l'art roman

Arcisse de Caumont avait défini trois périodes entre le Ve siècle et le XIIe siècle. 1) du Ve siècle au Xe siècle; 2) de la fin du Xe siècle à la fin du XIe siècle; 3) le XIIe siècle. Il en distinguait nettement ce qu'il appelait «le style ogival». Depuis lors, les études ont modifié cette succession. La période du IVe siècle au VIIIe siècle a été identifiée comme relevant d'une esthétique spécifique intitulée «Antiquité tardive». L'époque carolingienne a été rattachée stylistiquement à cette période sous le terme de haut Moyen Âge. Depuis quelques années, le «Siècle de l'an mille» a été analysé dans son rapport avec l'époque précédente et non plus comme annonciateur de l'avenir.

Le premier roman

Puig i Cadalfach, architecte catalan et nationaliste, s'est intéressé à définir les caractères de l'architecture catalane et a constaté qu'il s'agissait d'un style international.

Ce premier art roman n'est pas une simple école contemporaine des autres écoles romanes ou déterminée par des importations lombardes. Il leur est antérieur à toutes et ne se limite pas comme elles à des régions comme la Lombardie ou la Catalogne, mais il s'étend sur une grande partie de l'Europe, avant que des écoles particulières s'y soient développées.

Le premier art roman, quoique réalisé par des peuples différents, apparaît partout avec une grande uniformité. Les lois qui le régissent et qui sont observées dans des terres même très lointaines, témoignent d'une force inconnue dans d'autres arts. C'est un art qui pénètre dans le peuple et qui a l'uniformité et la permanence du folklore, et les formes dont il use ont la permanence des choses populaires. Cette loi de la permanence des formes donne avec le temps une complication nouvelle au trésor artistique. Ainsi, un art qui, à ses origines, témoigne d'une grande simplicité, aboutit dans la deuxième art roman, à une grande complication de formes.

D'autre part, les formes populaires sont déterminées et exclusives. L'art populaire change avec les éléments géographiques et historiques, et une égalité de caractères implique une communauté d'influences et de causes originelles.

Cet art concret, uniforme, fermé aux influences étrangères, se détermine sur la carte avec une précision que n'ont jamais connue les écoles si discutées de la seconde période romane. Ce fait apporte une certaine facilité de méthode. Les formes simples se prêtent plus facilement à l'analyse et à la comparaison, et leurs caractères déterminent, par conséquent, dans le temps et dans l'espace, les routes des influences et le chemin des origines.

Puig i Cadafalch,
*Le Premier Art roman.
L'architecture en Catalogne
et dans l'Occident méditerranéen
aux Xᵉ et XIᵉ siècles,*
Paris, 1928

Il en a défini les principaux caractères.

Les éléments architecturaux et décoratifs du premier art roman sont avant tout déterminés par le matériel employé dans les monuments qui ont servi de modèle, la brique plus ou moins bien cuite. Les petites arcades et les niches affectent dans leur appareil de briques posées à plat une forme qui dérive essentiellement de l'emploi de la brique ; de même les dents d'engrenage qui rappellent l'ornement obtenu avec des piles de briques posées de champ. On ne peut s'empêcher de remarquer sur ces éléments architecturaux la marque originelle de Constantinople, d'où ils arrivaient en Europe ; de Ravenne où les constructions utilisent la brique et jamais la pierre ; et de la vallée du Pô où la brique représente le matériel propre à l'architecture du pays. En somme, cette décoration rappelle les constructions des grandes cités chrétiennes du VIᵉ au IXᵉ siècle.

Trois faits surtout sont significatifs : l'apparition en Occident des niches et fenêtres aveugles ; celle, moins fréquente, des grandes arcades ornant les murs ; enfin, postérieurement, celle des petites arcatures lombardes.

Puig i Cadafalch, *ibidem*

Premier et deuxième âge roman

La distinction déjà imaginée par Arcisse de Caumont a été mieux encore soulignée à partir de la fin du XIXᵉ siècle. Jules Quicherat d'abord, Auguste Choisy ensuite ont mis en évidence la rupture dans le développement de l'architecture lors de l'extension du couvrement de pierre à l'ensemble de l'édifice. La structure en a été considérablement modifiée. En même temps, la sculpture monumentale fait son apparition à l'extérieur des monuments et les peintres et les enlumineurs rompent avec la tradition carolingienne ou de l'Antiquité tardive pour un style plus personnel. On assiste à la laïcisation des intervenants et à leur professionnalisation.

Dès le XIᵉ siècle, les langues romanes se constituent et témoignent par leurs savants procédés d'analyse de ce besoin d'ordre qui se fait partout sentir.

L'art, cette autre langue non moins expressive, se transforme à son tour.

Il a deux âges bien distincts : un âge de formation par voie d'emprunt auquel on a très justement donné le nom même qui désigne les langues nouvelles dont il est contemporain, l'âge roman ; puis l'âge d'originalité absolue, l'âge analytique au plus haut point, auquel on attribue le nom impropre mais consacré de gothique. De l'un à l'autre il n'existe point d'interruption : l'un marque l'aspiration méthodique, l'autre le résultat acquis.

Précisons les caractères techniques des deux époques :

Pour l'une et pour l'autre, le programme est le même : voûter la basilique latine ; c'est dans la façon de bâtir et de maintenir les voûtes que les procédés diffèrent, que le progrès se manifeste.

a. – À l'époque romane, la concrétion par couches horizontales qui constituait les voûtes antiques est remplacée par un blocage à lits rayonnants. Le pilier qui reçoit la retombée commence à se fractionner suivant les membres qu'il supporte, mais ce pilier joue encore le double rôle de pied-droit soutenant les charges verticales et de culée amortissant les poussées. On n'imagine pas encore d'autre moyen de contrebalancer l'effort des voûtes, que de leur adosser directement des massifs de butée. La solution est incomplète, mais déjà se fait sentir un esprit d'analyse étranger à l'Antiquité romaine.

b. - Arrive la période gothique : l'architecture prend des allures libres inconnues à l'époque romane. La structure nouvelle est le triomphe de la logique dans l'art; l'édifice devient un être organisé où chaque partie constitue un membre, ayant sa forme réglée non plus sur des modèles traditionnels mais sur sa fonction, et seulement sur sa fonction.

À l'époque romane, la voûte d'arête était une coque liaisonnée où les panneaux se tenaient et ne faisaient qu'un; à l'époque gothique, elle se décompose en panneaux indépendants portés sur un squelette de nervures.

Les poussées étaient autrefois des efforts plus ou moins diffus, les nervures en localisent l'effet, le concentrent en des points bien déterminés : en ces points seulement une résistance est nécessaire; le mur plein de l'architecture romane devient inutile, il disparaît et fait place à une claire-voie.

Auguste Choisy,
Histoire de l'architecture,
t. II, Paris, 1954

La plupart des spécialistes ont mis en valeur la diversité des solutions.

Les voûtes en berceau. – La supériorité statique de l'arc brisé le fit appliquer de bonne heure aux voûtes romanes en berceau.

Ces berceaux romans n'étaient pas compris comme tels berceaux romains, qui étaient des remblais de blocage formés parfois de strates horizontales; les maîtres d'œuvre n'avaient pour cela ni des ressources assez abondantes ni des ciments assez tenaces. Les berceaux n'étaient pas toujours, non plus, composés de voussoirs exactement taillés. Bien souvent les voûtes romanes, quel qu'en fût le genre, berceau, voûte d'arêtes ou coupole, étaient maçonnées de moellons plus ou moins dégrossis, disposés à peu près suivant les rayons de la courbe et pris entre des lits très épais de mortier. Pour construire de pareilles voûtes, on faisait des cintrages, des formes de madriers et de planches ou *couchis*, véritables moules en relief; sur ces moules on étendait d'abord une couche de mortier, destinée à devenir l'enduit de l'intrados; les empreintes des couchis sur cet enduit donnent l'illusion d'un appareil à peu près régulier.

Les voûtes d'arêtes. – La voûte d'arêtes de grande portée exigeait ou une coupe de pierre très difficile ou des mortiers excellents. En dehors de la Lombardie, des provinces rhénanes et de la Bourgogne, les constructeurs romans n'élevèrent que des voûtes d'arêtes de faibles dimensions et sur les bas-côtés. On en fit également usage dans les cryptes, parce que cette voûte permet les dégagements plus hauts sans augmenter l'élévation des voûtes, ce qui est capital dans les sous-sols.

Les coupoles. – Les coupoles isolées sur le carré du transept ou sous un clocher sont fréquentes. Il est plus rare que les nefs soient voûtées d'une rangée de coupoles. Tel est le cas pour un certain nombre d'églises du Sud-Ouest. Isolées ou non, les coupoles sont tantôt

sur pendentifs et tantôt sur trompes.
Le galbe habituel est plus élancé.

Jean-Auguste Brutails,
Précis d'archéologie médiévale,
Paris, 1908

L'an mille ou la troisième renaissance carolingienne

*Certains historiens de l'art depuis Pierre
Francastel ont renoncé au terme de
«premier art roman» au profit de celui,
plus large de «premier âge roman» qui
avait le mérite d'intégrer des courants
différents, ainsi Jean Hubert et Marcel
Durliat. L'ouvrage consacré au* Siècle
de l'an mil *dans la collection «L'Univers
des formes» (Gallimard, 1973) a mis
en lumière la profonde originalité de cette
période en la rattachant à la période
précédente. Pierre Riché est allé plus loin
encore dans cette voie en définissant
la période de l'an mille comme une
troisième renaissance carolingienne.*

On se rend de plus en plus compte qu'il y
a continuité culturelle entre le IXe et
le début du XIe siècle. Nous constatons
que les conceptions sur la culture sont
assez semblables, les mêmes auteurs
sont étudiés avec quelques insistances sur
le *quadrivium*. Comme au IXe siècle «la
sagesse est recherchée pour elle-même»
avec une tendance à pousser plus loin
les valeurs de l'humanisme. De même,
en étudiant la production artistique on
ne peut qu'être frappé par les influences
carolingiennes dans l'ivoire, l'orfèvrerie
et même les manuscrits. Les artistes
de l'an mille regardent plus vers le passé
que vers l'avenir même si dans
l'architecture quelques innovations
sont repérables.

Pierre Riché,
Les Grandeurs de l'an mille,
Éditions Bartillat, 1999

L'art roman

*Ainsi le temps de l'art roman a été mieux
cerné entre le dernier tiers du XIe siècle
et la fin du premier tiers du XIIIe siècle.
L'avantage a été de mettre en évidence
une esthétique romane commune à
l'ensemble de l'Europe occidentale dans
la totalité des techniques et de souligner
la rupture qui se manifeste dans la France
du Nord dans les années 1130-1140
avec l'esthétique gothique.*

L'architecture

*Comme il est habituel, le style a été défini
à partir de l'architecture. L'obsession
du couvrement qui relève de l'esthétique
des monuments a eu des conséquences
importantes sur la structure et le style. Un
grand nombre d'auteurs ont insisté sur
ce qu'il faut bien appeler une révolution
technique, au profit d'une nouvelle
esthétique. Henri Focillon a souligné dans
son ouvrage,* Art d'Occident, *ce qui est
caractéristique de cette nouvelle période.*

Étudié dans le dernier tiers du XIe siècle
et dans le premier tiers du XIIe,
l'art roman apparaît comme une force
en pleine vigueur. Il n'est pas l'expression
passive d'un milieu et d'une époque.
L'homme roman prend conscience de lui-
même dans l'art roman. Le génie d'une
grande pensée monumentale fixe l'accord
d'une poétique et d'une technique, d'une
spéculation et d'un langage. Plus que
jamais l'esprit de la forme définit la
forme de l'esprit. La maturité stylistique
correspond à une maturité historique
qui la favorise, par l'unité des desseins,
l'audace des programmes, la richesse
des ressources, la puissance morale des
institutions, surtout l'institution urbaine
et l'institution monastique. L'une et
l'autre représentent avec force le double

aspect du Moyen Âge, sédentaire et nomade, local et européen. Les villes, centres d'un territoire, pôles naturels d'attraction pour un pays, en drainent les forces, en concentrent les traditions et les expériences.

Henri Focillon, *Art d'Occident*,
Max Leclerc, Paris, 1938

Il a ainsi donné une définition de l'église romane.

Au moment d'étudier l'architecture qui prend place dans ce système, il importe plus que jamais d'avoir présentes à l'esprit les données essentielles de l'art de bâtir. Un édifice est plan, structure, combinaison des masses, répartition des effets. L'architecte est, à la fois et plus ou moins, géomètre, mécanicien, sculpteur et peintre, – géomètre dans l'interprétation par le plan de l'aire spatiale, mécanicien par la solution du problème de l'équilibre, sculpteur dans l'agencement plastique des volumes, peintre par le traitement de la matière et de la lumière. Chaque catégorie de talents et chaque période d'un style mettent l'accent sur l'une de ces parties de l'art, l'accord parfait est donné par les grandes époques. Le plan a une valeur essentiellement sociologique, car il est la figure même du programme et sa traduction graphique. Le rapport des proportions n'indique pas seulement l'esprit d'un art, mais les besoins auxquels il répond : la couronne de chapelles qui rayonnent autour de l'abside n'a pas seulement une valeur harmonique, elle répond aux nécessités d'un culte, et le déambulatoire arrondi est un procédé de dégagement. Pour l'œil habitué par la connaissance des monuments à la réalisation du plan dans l'espace, le plan suggère beaucoup plus, et même laisse apercevoir les solutions constructives. Mais il faut prendre garde qu'un édifice

n'est pas une élévation indifférente sur un plan défini et que l'analogie entre deux plans n'entraîne pas nécessairement et dans tous les cas l'analogie entre les masses bâties. Bien que le plan soit en quelque sorte le socle abstrait de ces dernières, elles ont une valeur propre, essentielle, surtout dans un art de belles masses, comme l'architecture romane du XIIe siècle. Elles concourent à l'équilibre, je ne dis pas l'harmonie optique, mais la résistance aux poussées, et, s'échelonnant par progression décroissante, par saillies plus ou moins prononcées, elles superposent aux rapports de la géométrie plane un ordre de rapports monumentaux sans lesquels il n'y aurait pas d'architecture, mais une figure sur le sol analogue à un parterre. Il est nécessaire, surtout dans les études romanes, de s'exercer à considérer un édifice comme une collection de solides et à mesurer leurs relations. On y est d'autant plus fondé que, dans l'art d'Occident, du moins à cette époque, les masses vues de l'extérieur donnent toujours la distribution intérieure des parties et leurs rapports dans les trois dimensions, si bien que leur examen permet d'en déduire le plan, l'inverse n'étant pas possible. Un exemple entre autres fera saisir le bien-fondé de ces remarques : un transept est peu lisible sur un plan, lorsque ses croisillons ne font pas saillie sur les bas-côtés. Enfin le profil d'un édifice, cette valeur significative entre toutes, ne saurait s'expliquer que par la combinaison des masses.

Henri Focillon, *ibidem*

La création du portail sculpté

L'apparition du portail sculpté, à la fin du XIe siècle à Toulouse a été très rapidement considérée comme l'une des créations décisives des médiévaux.

Paul Deschamps, autrefois conservateur du musée des Monuments français, a attiré l'attention des spécialistes.

Un des phénomènes les plus étranges à constater dans l'histoire de l'art du Moyen Âge est l'abandon presque total de la sculpture sur pierre avec représentations de scènes à personnages, depuis l'époque des invasions barbares jusqu'au XIe siècle. [...]

C'est seulement vers le milieu du XIe siècle et, d'une façon plus tangible, dans les dernières années de ce siècle qu'apparaissent de véritables bas-reliefs de pierre d'assez grandes dimensions donnant réellement l'impression d'œuvres d'art. Mais si le bas-relief à personnages exécuté dans la pierre fut à peu près inconnu aux époques mérovingienne et carolingienne, il fut pratiqué en ce temps-là dans d'autres matières et surtout dans l'ivoire pour des figures de petites dimensions, et dans le métal pour des figures de proportions variables et parfois assez grandes. L'art de l'orfèvrerie prit à l'époque carolingienne un grand développement; on constate alors la production d'une quantité vraiment considérable de monuments de métal précieux ornés de figures en relief. Pendant les siècles romans, le XIe et le XIIe siècle, l'usage des œuvres d'orfèvrerie fut aussi très fréquent : observons qu'il ne s'agit pas seulement d'objets de petite taille tels que des calices, des encensoirs, des pyxides, des lampes, des couronnes suspendues au-dessus des autels, mais aussi d'ouvrages plus importants comme de grandes châsses, des devants d'autel et des statues.

Paul Deschamps, «Étude sur la renaissance de la sculpture en France à l'époque romane», *Bulletin monumental*, Société française d'archéologie, 1925

Émile Mâle a mis en lumière le rôle de Cluny dans la diffusion de l'image et la naissance du portail médiéval.

La résurrection de la sculpture au commencement du XIIe siècle est un des grands événements de l'histoire de l'humanité. On a répété souvent que le triomphe du christianisme avait précipité la décadence de la sculpture : l'Église, après sa victoire, aurait aussitôt déclaré la guerre aux statues, où elle voyait des idoles. Les faits ne répondent pas à ces affirmations. On a retrouvé des statues chrétiennes des premiers siècles, et l'on sait que les sarcophages chrétiens décorés de bas-reliefs abondent dans nos musées. La vraie cause de la disparition de la sculpture n'est pas l'hostilité de l'Église, mais l'avènement d'un art nouveau...

L'Église a si peu condamné la sculpture que c'est elle qui la fit revivre. C'est la France méridionale qui eut la gloire de cette résurrection. On a pu hésiter entre la Bourgogne et le Sud-Ouest, mais les études les plus récentes concluent en faveur de Toulouse. Il ne semble pas qu'il y ait d'ensemble plus ancien que les chapiteaux du cloître de la Daurade, à Toulouse; ils ont été sculptés entre 1060 et 1070. Les chapiteaux et les bas-reliefs du magnifique cloître de Moissac, terminés en 1100, sont un peu postérieurs. Ainsi, les moines français recommencèrent l'œuvre de la Grèce. Moissac et la Daurade étaient deux prieurés clunisiens. Reconnaissons ici le génie si large et si humain de Cluny, que nous n'admirerons jamais assez. En quelques années, on vit la sculpture se propager dans tout le Midi, gagner la Bourgogne et enfin l'Ile-de-France.

Les moines clunisiens, qui portèrent la sculpture jusqu'en Espagne, y virent la plus puissante alliée de la foi. Leurs tympans sculptés parlèrent désormais avec autant d'éloquence que leurs docteurs. Quelle pensée inscrivirent-ils au front de leurs églises? Une pensée profonde, qui ne pouvait laisser aucun homme indifférent : celle du jugement. Le Dieu de l'Apocalypse, majestueusement assis entre les quatre animaux et les vingt-quatre vieillards, apparaissait, à la fin des temps, prêt à prononcer la sentence. Le pèlerin qui allait d'église en église, rencontrait sans cesse cette redoutable image.

Émile Mâle,
Art et artistes du Moyen Âge,
Flammarion, Paris, 1968

Henri Focillon s'est plus particulièrement penché sur le mystère de la sculpture romane. Dans L'Art des sculpteurs romans *(1931), il proposait une approche qui dépasse la technique pour tenter d'en comprendre la profonde originalité, bien au-delà des modèles antiques. Il la définissait comme un «tout, et peut-être un système».*

Mais la pierre réclame l'outil. Elle ne se pétrit pas avec les doigts. Elle ne se prête pas ou se prête difficilement à la sensualité de la caresse, à la virtuosité de la recherche. Il faut aller chercher la forme dans le bloc, et non l'accroître lentement autour de l'armature. Le travail y part de dehors, et c'est le contraire pour la terre, où il part de l'intérieur. De nos jours, les choses sont confondues, et la maquette en terre est remise au praticien pour l'exécution en pierre ou en marbre, au moins pour la mise au point. Mais même si l'artiste du Moyen Âge s'était servi d'ébauches ou d'indications en terre, il eût été dominé par l'idée de la pierre. Il ne songeait pas à exécuter un bibelot de grande taille pour un particulier, il

travaillait à un mur d'église. Sur le vitrail de Chartres, on le voit frapper dans le bloc, à coups de maillet, à coups de ciseau. Dans le plus grand nombre de cas, le sculpteur et le maçon besognent, parfois côte à côte, dans la même matière et pour le même objet.

Mais ce n'est pas d'un seul coup que la sculpture en pierre, au Moyen Âge, a possédé ses ressources et défini son esprit. On verra comment elle a été quelques temps rivée à l'imitation du bois, du stuc, de l'orfèvrerie et des ivoires. Plus tard elle a été peut-être déviée par l'imitation du marbre. Celui-ci est admirable par la douceur et l'éclat; on dirait que, sous une mince pellicule de sa surface, il accueille et réfracte la lumière qui semble ainsi lui venir, non d'un éclairage extérieur, mais de sa propre substance; parfois semé de paillettes cristallines, dans les carrières des îles de l'Égée, il est à la fois lumineux et robuste. Les Grecs eurent eux aussi, et avant tous, dans leurs édifices et dans leur sculpture, cette noble unité de matière qui caractérise également nos églises. Le Moyen Âge a connu un bâtard du marbre, l'albâtre, fourni par les carriers flamands aux imagiers bourguignons et anglais. Mais l'albâtre est au marbre grec ce que le plomb est au bronze, et le marbre lui-même, qui favorise les recherches d'épiderme, incline aussi à une mollesse brillante et à la rondeur. […]

Focillon est allé bien au-delà de ces remarques obligées pour définir le principe qui régit la sculpture romane.

La sculpture romane est mouvement avant tout. L'homme même, le long géant des trumeaux, des piédroits, des tympans, se meut avec une ardeur passionnée. Appuyés au linteau sur ces socles d'immobilité que leur font les vingt-quatre vieillards de l'Apocalypse, les Jugements Derniers bougent de toutes parts. Aux anges, aux élus, aux damnés qui plient les genoux s'ajoutent les figures volantes, celles qui tombent, celles qui se renversent en arrière et, dans les médaillons, celles qui font la roue. L'art roman n'est pas seulement l'art des monstres, il est l'art des acrobates : à côté de l'anomalie de la forme, il y a l'anomalie du geste, comme si, lorsqu'il respecte la nature dans un corps bien fait, le sculpteur voulait néanmoins lui imposer une sorte de frénésie cachée et l'audace de ses songes. Peut-être est-ce là que nous verrons s'exercer avec le plus de rectitude et d'autorité les règles que l'on aperçoit déjà.

Henri Focillon,
L'Art des sculpteurs romans,
Leroux, Paris, 1931

En conclusion de son chapitre consacré au décor roman, Henri Focillon s'est interrogé sur les rapports entre architecture et sculpture. Il ouvre un débat sur le rôle de la polychromie dans la perception originelle avant sa disparition. La question a repris une nouvelle dimension lors du nettoyage de certains ensembles qui avaient disparu sous la prétendue patine du temps qui s'est révélée être de la crasse. Le portail de Saint-Trophime à Arles a pris depuis sa véritable dimension.

Les combinaisons de l'ombre et de la lumière ne sont pas les seules à donner aux monuments la vie de la couleur. L'église romane utilise la polychromie pour la sculpture et fait accueil à la peinture murale. L'étude de la première de ces deux questions est rendue difficile par l'extrême rareté et par le délabrement des exemples. Ces couches légères, qui revêtaient la pierre d'un mince épiderme de ton, ont presque complètement disparu, mais les traces qui, çà et là, en subsistent, attestent l'intérêt d'une pratique dont les Anciens avaient fait grand usage, sans qu'il nous soit possible d'en préciser le rôle et la portée au XIIe siècle. La polychromie était-elle employée à titre de rehauts, par exemple pour «enlever» les reliefs sur les fonds et pour leur donner plus d'accent? On aurait peine à croire que des maîtres si entendus dans l'interprétation architecturale et plastique de l'espace et, comme nous le verrons, si sensibles aux valeurs optiques de la peinture, aient ainsi risqué de désorganiser un système aussi savamment établi. Plus probablement la polychromie de la sculpture fut à leurs yeux une parure, du même ordre que la polychromie des assises et les jeux d'appareil. Mais il est possible aussi que, la faisant intervenir dans les procédés de la composition ornementale, ils en aient tiré parti soit pour préciser, soit pour feindre certains effets et certains mouvements.

Henri Focillon,
Art d'Occident,
Max Leclerc, Paris, 1938

Fortement impressionnés par les intuitions de Henri Focillon, nombre de ses élèves et de ses disciples ont voulu créer à partir de la conception évolutionniste de l'histoire de l'art une méthode. Il avait ainsi affirmé une continuité entre les premières tentatives de sculpture sur pierre et les grands portails du XIIe siècle. André Malraux, dans la conception de l'art qu'il a développée dans ses nombreux ouvrages, s'est élevé contre cette conception au profit d'une vision plus dramatique établie sur des ruptures.

Au Xe siècle, la sculpture avait disparu. L'histoire de l'art conçue au XIXe a donc supposé que les artistes réapprirent à sculpter pendant le XIe; et, parce qu'elle postulait que le développement de tout art se confond avec une conquête de l'illusion, elle a établi une évolution depuis les chapiteaux «primitifs» jusqu'au tympan de Moissac.

L'art de ces chapiteaux n'est plus celui des invasions, ni l'expression celtique maintenue par l'enluminure des Iles. Pas davantage un art de tradition, semblable à ceux de l'Afrique et de l'Océanie; l'admirable s'y mêle aux graffiti. Nous commençons à en distinguer les cadres. Figures d'instinct semblables aux dessins d'enfants; héritières incertaines de la forêt mérovingienne; imitations tantôt habiles et tantôt maladroites d'œuvres antérieures, d'orfèvreries surtout (ici paraissent à la fois le bas des vêtements «en feston» et l'accord des personnages avec l'acanthe rustique des chapiteaux); abstraction et expressionnisme sacrés, liés à un accent populaire, qui se rejoindront à Payerne; d'autres cadres encore. Le style roman n'effacera pas d'un coup ce chaos, que l'on ne peut définir comme on définit un style. Tout au plus peut-on tenter de voir les pôles de sa vraie création dans l'abstraction du chapiteau des SÉRAPHINS et la trouble plénitude de la VISITATION de Selles-sur-Cher, qui exprime l'émotion d'un grand art de bergers par un geste admirable, par des robes où une orfèvrerie barbare magnifie des haillons, et ces pieds informes qui dressent la rencontre sacrée sur la misère et la boue des siècles…

À Saint-Benoît comme à Poitiers, comme dans les ensembles espagnols et rhénans, on distingue non seulement plusieurs sculpteurs, mais encore ce qu'on appellerait aujourd'hui plusieurs écoles : la création du XIe siècle est multiple, étendue, et féconde en trouvailles dont l'indépendance nous intrigue. Pourtant cette création, même admirable, est toujours élémentaire, élémentaire s'opposant ici à traditionnel et à élaboré. L'art ne passe manifestement pas des SÉRAPHINS au tympan de Moissac; la VISITATION demeure sans postérité. La sculpture subit une mutation brusque.

On connaît depuis longtemps le lien qui unit aux ivoires la sculpture de Toulouse et de Compostelle; mais ce ne sont pas les seuls ivoires, c'est l'art du livre tout entier, que la sculpture découvre au début du XIIe siècle. […] L'idée que l'art du tympan de Moissac puisse venir d'une enluminure, fût-elle géniale, est inconcevable pour un sculpteur. On peut – parfois – agrandir un ivoire aux dimensions d'un haut-relief; mais si on peut faire un haut-relief d'une enluminure, d'un tableau de Raphaël ou d'un portrait de Cézanne, on ne peut en faire une œuvre d'art – à moins d'en faire une œuvre étrangère, par sa nature même, a celle qui l'a suscitée. L'enluminure n'apporte pas aux sculpteurs des modèles d'expression ou d'illusionnisme, elle leur révèle un «niveau d'élaboration», un monde de formes irréductible à celui de la sculpture pré-romane, et, comme tout l'art du livre, un *domaine de références*.

Peu importe l'éducation technique des premiers maîtres romans. La technique de la sculpture n'est pas héréditaire. Il n'a pas fallu plusieurs vies à Poussin, à Daumier, à Gauguin, pour l'acquérir; il faut moins de temps encore à un orfèvre et à un ivoirier. La grande sculpture surgit soudain, comme a surgi l'enluminure; et sa relation avec les chapiteaux primitifs rappelle souvent celle de l'enluminure carolingienne avec l'illustration zoomorphe des manuscrits mérovingiens. Encore les premiers enlumineurs connaissaient-ils la miniature insulaire et byzantine?

Son rôle semble repris par le Trésor des couvents. Le sculpteur des SÉRAPHINS, artistiquement, est illettré; pas celui de Moissac. La sculpture sur pierre devient un art historique. Le petit maître de Saint-Sernin et le maître génial de Moissac, que l'on a peine à croire voisins, peine à croire contemporains, écartent du même geste les chapiteaux de Saint-Benoît. Que l'on pense à Moissac, à Vézelay ou à Autun entre ces chapiteaux et les enluminures majeures : celles du Pontifical de Robert par exemple, ou les dessins des psautiers anglo-saxons. Au XIᵉ siècle, le monde de formes instinctif ou brut de la sculpture sur pierre, et le monde de formes *dominé* (et souvent raffiné) du livre, ne semblent pas appartenir à la même civilisation…

André Malraux, *La Métamorphose des dieux*, «La Galerie de la Pléiade», Gallimard, 1957

La méthode en histoire de l'art

En fait, Malraux soulevait ainsi la question de la méthode en histoire de l'art. L'historien doit replacer les œuvres créées dans un contexte pour en saisir fonction et finalité. Marcel Durliat, le meilleur spécialiste en la matière, s'est exprimé sur la question.

Nous avons retenu de l'archéologie traditionnelle ses préoccupations pratiques et son sens du concret. Monument ou objet, la création artistique remplit une fonction précise qui détermine en partie sa forme. Il convient d'éviter de séparer artificiellement, et plus encore d'opposer, la forme et la fonction. Une œuvre n'est jamais conçue *in abstracto*, en dehors de tout contexte. Un programme contient déjà, implicitement, des suggestions formelles, même si on ne saurait, à partir de là, préjuger du résultat final, en raison de la polyvalence des formes. […]

Marcel Durliat insiste sur la priorité de la datation d'un monument.

Avant toute chose, il convient donc de situer la création artistique dans son époque, l'enraciner dans une vie, une société, un langage, une foi, qui sont une histoire.

Ce qui ne signifie aucunement qu'un style soit déterminé dans ses formes et son évolution par la société qui l'a vu naître. Pas plus que les croyances et les idéaux, les formes artistiques ne dérivent nécessairement du développement économique et social. La forme artistique n'est jamais une image mécanique de la vie sociale, ou la résultante nécessaire d'un ensemble de déterminations sociologiques. Il n'est rien de plus vain que de vouloir projeter les schémas de l'organisation sociale dans les créations artistiques. C'est bien abusivement qu'on a tenté, par exemple, d'identifier l'art roman à un art féodal, en le faisant régir par un certain nombre de principes, d'aspirations et de schémas de structure qui auraient intéressé le mouvement de la société guerrière contemporaine. […]

En définitive, nous entendons préserver une certaine autonomie de l'artiste, réserver à son champ d'action un caractère relativement ouvert. Cette préoccupation, qui nous opposera au sociologisme marxiste, nous fera également prendre nos distances à l'égard du structuralisme.

Marcel Durliat, *L'Art roman*, Mazenod, Paris, 1982

Les maîtres d'ouvrage

Les chercheurs se sont efforcés depuis quelques années d'attirer l'attention sur la personnalité des maîtres d'ouvrage. Ils passaient à des artistes une commande toujours accompagnée d'un programme précis. Les témoignages écrits sont peu abondants, mais suffisamment éloquents pour comprendre leur investissement personnel dans la définition du programme et dans l'iconographie.

Gauzlin à Notre-Dame de Fleury

Pour l'architecture, il appartient au maître d'ouvrage de définir le parti général comme on le constate à Saint-Bénigne de Dijon, conçue par l'abbé Guillaume (989-1031) et à Notre-Dame de Fleury avec le puissant abbé Gauzlin (1005-1021).

Bien mieux, l'abbé Gauzlin, rehaussant la noblesse de sa race par les marques visibles de sa sagesse, décida de construire une tour, à l'ouest de l'abbatiale, avec des pierres de taille qu'il avait fait transporter par bateau du Nivernais. Le roi ayant demandé au plus bienveillant des maîtres d'œuvre quel genre de travail il ordonnait d'entreprendre, il répondit : « Une œuvre telle qu'elle soit un exemple pour toute la Gaule. »

Il orna aussi le chœur des chantres d'un très beau décor de marbre qu'il avait fait apporter des pays de la « Romania ».

Il fit aussi un lutrin en métal d'Espagne massif pour servir aux jours de fête. La base en avait été soudée par l'art du fondeur, qui la renforça et l'embellit de quatre lionceaux ; au-dessus, une colonne de trois coudées de haut, façonnée par l'art du fondeur et d'un fini en tous points admirable obtenu au prix d'un travail considérable; en son centre rayonnait l'image d'un aigle aux ailes éployées.

Il fit aussi un encensoir, dont la matière était d'or massif, d'un travail vraiment admirable et d'une dimension considérable.

Et encore, il mena jusqu'à son achèvement ce qui restait à faire de la salle du trésor commencée par son prédécesseur.

De plus, il acheta au prix de dix livres une aube que l'or roidissait de toutes parts et il en fit don pour rehausser la gloire de son abbaye.

Il fit orner avec goût, d'or et d'argent, le poème de Raban [Maur] écrit à la louange de la sainte Croix [...].

Il fit voûter de pierre l'oratoire consacré en l'honneur de saint Jacques et un autre aussi élevé en commémoration de saint Jean l'Évangéliste.

Il fit aussi, en l'honneur du Sauveur Universel, un oratoire dans lequel il exigea pour toujours l'accomplissement de prières à son intention.

> Vie de l'abbé Gauzlin, par Helgaud,
> in Pierre Riché (sous la direction),
> L'Europe de l'an mil, Zodiaque, 2001

La réponse de l'abbé Thierry à un projet trop ambitieux : Saint-Remi de Reims

À Saint-Remi de Reims, l'abbé Thierry décida en 1039 de raser l'édifice que son prédécesseur l'abbé Airard (1005-1034) avait entrepris, le jugeant trop ambitieux. Il ne récupéra que les supports qu'il remonta pour les replacer dans la nef actuelle.

Après sa mort [de l'abbé Airard], Thierry, son successeur, voulut achever son entreprise, mais la tâche était si lourde qu'il lui parut impossible de la mener à bonne fin. Il prit donc conseil des plus sages parmi les moines qui étaient sous sa dépendance et des personnages les plus respectables de la province de Reims; sur leur avis, il se décida à détruire en partie l'édifice commencé par son prédécesseur, en respectant quelques fondations dont la conservation sembla nécessaire aux architectes; puis il se mit à élever une église d'une construction plus simple mais tout aussi convenable.

Ce fut la cinquième année de sa promotion à la dignité d'abbé, vers 1039, qu'il entreprit cette œuvre. Laïcs et ecclésiastiques lui prêtèrent à l'envi leur concours; plusieurs membres du clergé employèrent d'eux-mêmes leurs chariots et leurs bœufs au transport des matériaux. On établit des fondations dans les endroits où il n'y en avait pas encore, on mit en état les colonnes du premier édifice détruit, on éleva sur elles des arceaux cintrés avec soin, et la basilique commença à prendre forme entre les mains des constructeurs. Puis, lorsque les murs des galeries furent bâtis de toutes parts et que le faîte de la nef eut atteint une plus grande hauteur, on rasa de fond en comble la vieille église dédiée jadis par Hincmar, et l'on couvrit d'un toit provisoire le chœur des moines, afin qu'ils pussent vaquer aux offices divins sans être exposés aux intempéries.

> Anselme, Historia,
> Traduction in Alain Erlande-Brandenburg,
> Quand les cathédrales étaient peintes,
> «Découvertes», Gallimard, Paris, 1993

Robert le Pieux, maître d'ouvrage de la châsse de saint Savinien pour l'abbatiale de Saint-Pierre-le-Vif à Sens (1015-1019)

Il en va de même pour les autres techniques, comme celle qui relève de l'orfèvrerie. Le roi Robert le Pieux et sa femme, désireux d'honorer saint

*Savinien, inhumé à Saint-Pierre-le-Vif
à Sens, et jusqu'alors déposé dans une
châsse de plomb, confièrent au moine
Odoran, moine dans l'abbaye, le soin
d'en confectionner une nouvelle
en matériau précieux.*

La reine Constance entreprit
d'appliquer tous ses efforts à faire orner
de pierres précieuses et d'or le corps
du saint qui, longtemps enfermé dans
une châsse de plomb, avait été déposé
sous la terre par nos anciens pères.
Comme elle s'ouvrait au roi de ce vœu,
elle le trouva, grâce à Dieu, prêt à le
satisfaire entièrement. Le roi fit venir
Odorannus, moine dudit lieu, qui lui
semblait capable d'exécuter cette œuvre
et, en accord avec la reine, confia à sa foi
cet ouvrage de grande piété. Ils
donnèrent donc à Sens, tout d'abord
par l'intermédiaire du prévôt Gaudri,
quatre livres d'argent fin; puis, à Sens,
par les mains du chambrier Guillaume,
cinquante-cinq sous d'argent fin. Ensuite
ils envoyèrent par l'intermédiaire
d'Eudes Parage, trente-sept sous
d'argent fin; ils envoyèrent encore
de Paris, par l'intermédiaire du moine
Odorannus, dix-sept sous et huit deniers
d'or et des pierres très précieuses. Ceci
fait, il nous reste à dévoiler aux fidèles
du Christ les miracles de Dieu que,
lors de la fabrication de cet ouvrage,
nous avons vus de nos yeux et en partie
touchés de nos mains. Ce serait un crime
de les passer sous silence.

Donc le roi, absorbé par les divers
soucis du siècle, différa quelque peu
d'envoyer au monastère ce qu'il fallait
pour couvrir les frais de l'ouvrage
entrepris. Quand il eut repris sa
tranquillité d'esprit, il fit dire par
Francolin au susdit frère Odorannus de
venir au plus vite à Dreux pour y recevoir
son offrande pour le travail de la châsse.

Après l'office du soir et après avoir reçu,
suivant l'usage monastique, la
bénédiction de l'abbé, Odorannus
se mit en route pour gagner les hauteurs
du château de Dreux. [...] Ils arrivèrent
au palais du roi au moment où celui-ci
se levait de table. Après qu'Odorannus
eut salué le roi et la reine, les présages
donnés par l'astre allaient apparaître
d'une complète véracité, car la reine
dit au moine : «Prends les offrandes
que nous avons décidé de remettre dès
à présent, selon nos possibilités, à saint
Savinien et hâte-toi de t'en retourner.»
[...] Plus tard, le roi donna à Sens par les
mains du moine Odorannus huit onces
d'or et quinze sous d'argent fin. Pour
l'achèvement de cet ouvrage, afin de
ne point être trop à la charge du roi par
les demandes répétées d'or et d'argent, on
préleva sur le trésor de l'église cinq onces
d'or et trois livres d'argent fin [...]. Le
frère, au jugement et à la discrétion de
qui on s'en était remis pour l'exécution
de l'ensemble de l'œuvre, était resté dans
le chœur du monastère et remplissait
avec de la cire amollie par la chaleur
les figurines d'argent qu'il s'apprêtait
à placer sur le couvercle de la châsse.

Odorannus de Sens, *Opera omnia*,
Bautier, Paris, 1972

Échange de lettres entre Wibald, abbé de Stavelot, et un orfèvre

*La correspondance échangée en 1148 par
l'abbé Wibald de Stavelot et un orfèvre,
dont l'initiale G est seule mentionnée,
est révélatrice des tensions permanentes
entre le commanditaire pressé de voir
l'œuvre achevée et l'artiste pris sans doute
par d'autres commandes.*

Frère Wibald, par la grâce de Dieu
abbé de Stavelot et de Corbie
dans l'Église catholique,

à son cher fils G., orfèvre,
salut et bénédiction

Les hommes de ton art souvent ont l'habitude de ne point tenir leurs promesses, par la raison qu'ils acceptent plus de travaux qu'ils ne peuvent faire. La cupidité est la racine de tout mal. Mais un esprit élevé comme le tien, servi d'ailleurs par des mains habiles et illustres, échappe à tout soupçon de fausseté. Ton art commande la confiance; ton œuvre est inspirée par la vérité. L'effet répond à tes promesses et tes engagements s'accomplissent au temps fixé. Et si nous avons pensé à te rappeler tes promesses et les obligations contractées envers nous, c'est assurément en écartant la pensée que le dol et la fraude puissent avoir élu domicile auprès d'un esprit aussi distingué.

À quelle fin donc cette lettre? Simplement pour que tu t'appliques avec un soin exclusif aux travaux que nous t'avons commandés, écartant jusqu'à leur achèvement toute besogne qui pourrait y mettre obstacle. Sache donc que nous sommes prompt dans nos désirs, et ce que nous voulons, nous le voulons sans retard. Sénèque, dans son *Traité des bienfaits*, dit : «Celui-là donne deux fois qui donne vite.» Après celle-ci, nous nous proposons de t'écrire plus longuement du soin et de la conduite de ta maison, du régime de ta famille ainsi que des observations relatives à la direction de ta femme. Adieu.

Au Seigneur Wibald, par la grâce de Dieu, abbé de Stavelot et de Corbie, salut et obéissance de son serviteur G.,

J'ai reçu les avertissements que tu m'adresses et qui découlent du trésor de ta bienveillance, avec autant de déférence que de plaisir. Ils ne me semblent pas moins acceptables par leur utilité et leur gravité que par l'autorité de celui qui les émet. J'ai confié à la garde de ma mémoire et je me suis bien pénétré du précepte que la bonne foi doit accompagner mon art, que mon travail doit être inspiré par la vérité, et qu'enfin mes promesses ne doivent pas être vaines.

Toutefois il n'est pas toujours possible à celui qui promet de tenir ses engagements; il dépend souvent au contraire, de celui auquel la promesse est faite d'en hâter ou d'en différer l'accomplissement. Si donc, comme tu le dis, tu es prompt dans tes désirs, et si ce que tu veux, tu veux l'obtenir sans retard, fais en sorte que je puisse courir à l'accomplissement de l'œuvre que tu désires. Car j'y cours et je continuerai à y courir à moins que la nécessité ne m'arrête. Il faut que je te dise que ma bourse est vide et aucun de ceux que je sers par mon travail ne me donne quelque chose. Malgré les luminaires que tu as promis à ma femme je suis dans les ténèbres, et l'attente où je me trouve du bienfait annoncé, suspend celui qu'à ton tour, tu attends de moi. Et puisqu'il est dans la nature humaine de jouir doublement de l'abondance après avoir souffert du dénuement, je te prie d'apporter le remède, maintenant que tu connais la nécessité. Donne vite, afin de donner deux fois, et tu me trouveras aussi constant que fidèle, et tout dévoué au travail que tu me demandes de faire. Adieu.

Considère bien le temps qu'il y a du commencement de mai à la fête de sainte Marguerite, et de celle-ci à la fête de saint Lambert. Tu me comprends à demi-mot.

Traduction Jules Helbig,
*Bulletin de la Guilde
de Saint-Thomas et de Saint-Luc*,
t. III, 1874-1876

GLOSSAIRE

Abbatiale : église de l'abbaye.

Abside : partie terminale d'une église de plan semi-circulaire ou polygonal, généralement orientée.

Absidiole : petite abside en hémicycle.

Ambon ou **chaire** : dalle de marbre ou de pierre décorée, posée verticalement et disposée de chaque côté de la clôture devant les fidèles, supportant un pupitre derrière lequel l'officiant se plaçait pour lire alternativement l'Évangile au nord, l'Épître au sud.

Antependium : décor appliqué sur la face occidentale de l'autel.

Appareil : mode de construction où les pierres sont taillées de manière à ne présenter que des faces lisses, ce qui permet leur exacte application les unes aux autres. Par opposition au *blocage*.

Arc : courbe constituée par un assemblage de pierres.

Arc brisé : arc formé de deux segments de courbe, obtenu en supprimant la partie centrale d'un *arc en plein cintre*.

Arc de décharge : arc noyé dans l'épaisseur du mur, chargé de soulager la partie qu'il encadre ou surmonte en reportant le poids des maçonneries supérieures sur les côtés.

Arc diaphragme : arc tendu au-dessus d'une nef supportant un mur destiné à soutenir la couverture.

Arc-doubleau : arc qui renforce le berceau d'une voûte.

Arc en plein cintre : arc dont la courbe décrit un demi-cercle.

Arcade : ensemble d'un arc et de ses supports appelés *jambages*.

Arcature : suite d'*arcades* appliquées contre une paroi.

Arête : ligne droite ou courbe formée par l'intersection de deux surfaces (voir *voûte*).

Assise : rangée horizontale de pierres dont une maçonnerie est composée.

Bande lombarde : bande verticale de faible saillie. Ces bandes sont reliées entre elles par de petites *arcades*. Elles caractérisent le «premier art roman».

Bas-côté : voir *collatéral*.

Basilique : à Rome, la basilique était une vaste construction de formes très variées servant de lieu de réunion. Terme donné très tôt aux édifices de culte chrétien. Elle comprenait une nef, deux bas-côtés moins larges et moins élevés que la nef, et au bout de la nef une abside généralement orientée. Elle pouvait être précédée d'un portique ou d'un atrium. L'époque romane lui adjoignit un transept.

Berceau : voir *voûte*.

Blocage : matériaux grossiers cassés au marteau et noyés dans du mortier.

Cantonné : se dit d'un massif carré muni de colonnes angulaires.

Champlevé : voir *émail*.

Chapelles rayonnantes : chapelles qui s'ouvrent sur le déambulatoire dès le XIe siècle.

Chapiteau : pierre taillée et sculptée surmontant une colonne, une demi-colonne ou un pilastre et qui, par l'intermédiaire d'un *tailloir*, reçoit la retombée d'un *arc*.

Chevet : terme qui désigne la tête d'une église, généralement la partie orientale de l'édifice.

Ciborium : Sorte de dais ou de baldaquin composé de quatre colonnes reliées par des architraves ou des arcs, et d'une toiture à quatre pans ou d'une coupole.

Cloisonné : voir *émail*.

Collatéral : vaisseau latéral d'une église, parallèle au vaisseau principal central. Synonyme de *bas-côté*.

Collégiale : église desservie par un chapitre de chanoines.

Console : bloc de pierre inséré dans le mur destiné à recevoir une retombée (*ogives, arcs-doubleaux…*).

Contrefort : renfort de maçonnerie – le plus souvent en forme de *pilastre* appliqué sur la face extérieure d'un mur pour diminuer les effets de la poussée. Il est appliqué au droit des *doubleaux* ou contre les piles des *voûtes d'arêtes*. Il offre une résistance négative à la poussée oblique qu'il reçoit. Son emploi systématique et rationnel est une des principales innovations de l'architecture romane.

Corniche : assise ornée et saillante qui couronne un mur. La corniche romane est supportée par des corbeaux ou par des *bandes lombardes*.

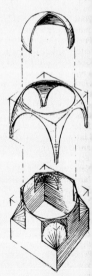

En haut, la coupole, au centre, les pendentifs, en bas, les trompes.

Coupole : voûte concave destinée à couvrir une travée carrée ; il faut «racheter» le carré, c'est-à-dire passer du plan carré de la salle au plan polygonal ou courbe de la voûte, grâce aux *pendentifs* ou aux *trompes*.

Cul-de-four : demi-coupole qui couvre ordinairement les absides.

Déambulatoire : galerie de circulation qui tourne autour du sanctuaire.

Délit : les pierres doivent être posées sur le «lit de carrière», c'est-à-dire en respectant l'horizontalité de la couche de la carrière. Exceptionnellement, certaines pierres choisies expressément sont posées en délit, c'est-à-dire debout, donc perpendiculairement au lit de carrière.

Doubleau : voir *arc*.

Émail champlevé : plaque émaillée dans laquelle les surfaces à émailler ont été évidées dans l'épaisseur de la plaque. Par opposition à l'émail «cloisonné» où les mêmes surfaces ont été délimitées par l'application de cloisons soudées perpendiculairement à la plaque. L'émail limousin est champlevé, l'émail rhénan, byzantin est cloisonné.

Engagée (colonne) : colonne maçonnée de moins de la moitié de son diamètre dans la muraille ou la pile avec laquelle elle fait corps.

Formeret : arc parallèle à l'axe de la voûte inséré dans le mur latéral.

Fresque : peinture exécutée sur mortier dans le temps de son séchage.

Grisaille : peinture monochrome destinée à réaliser les figures.

Haut-relief : sculpture dont le relief est très saillant, mais qui ne se détache pas du fond auquel elle adhère.

Jambage ou **piédroit** : montant vertical de porte, de fenêtre et supportant un arc ou un linteau.

Linteau : pierre horizontale posée sur les jambages et qui ferme par le haut une ouverture rectangulaire.

Nef : partie de l'édifice de culte situé au-delà de l'abside en cas d'absence de transept ou au-delà du transept.

Niveau : division d'un bâtiment dans le sens horizontal.

Ogive : nervure diagonale sur laquelle reposent les *voûtains*. Elle renforce les arêtes d'une voûte, elle peut donc être en plein cintre (voir *voûte*).

Pendentif : triangle curviligne qui permet de passer du plan carré au plan circulaire et portant une *coupole*.

Piédroit : voir *jambage*.

Pilastre : pilier rectangulaire de faible saillie engagé dans un mur ou un autre pilier.

Porche : extrémité généralement occidentale de l'église.

Retable : tableau vertical placé en retrait de la table d'autel.

Ronde-bosse : sculpture exécutée en complet relief, elle ne fait alors plus corps avec le fond.

Tailloir : tablette en saillie assez forte qui couronne les chapiteaux et reçoit directement les retombées des arcs.

Transept : vaisseau transversal qui dépasse souvent l'alignement des collatéraux et qui donne à la basilique chrétienne la forme symbolique d'une croix.

Travée : portion d'un édifice comprise entre deux supports, renforts ou piles maîtresses.

Tribune : espace maçonné situé au-dessus des bas-côtés de la nef. Elle contre-bute utilement les doubleaux ou les voûtes du vaisseau central.

Trompe : portion de voûte élevée dans les angles d'une travée carrée et qui permet de passer du plan carré à l'octogone pour construire une *coupole*.

Trumeau : pilier central qui supporte le linteau d'un portail qu'il partage en deux baies.

Tympan : panneau compris dans un portail entre l'arc et le linteau.

Vaisseau : espace intérieur d'un édifice délimité par des murs ou des supports.

Voûtain : compartiment de la voûte.

Voûte d'arêtes : formée par la pénétration de deux *berceaux* se coupant à angle droit et projetant au-dessous des arêtes saillantes. Les poussées, au lieu d'être continues comme dans une voûte en berceau, sont localisées sur les supports placés aux points où aboutissent les arêtes. Elles sont ainsi plus faciles à contre-buter par des contreforts. Les murs n'ont plus besoin d'être aussi épais et peuvent être percés de fenêtres dans l'intervalle des supports.

Voûte en berceau : arc qui se prolonge en plein cintre, brisé, surhaussé, surbaissé, en anse de panier, ou en quart de cercle.

Voûte d'ogive : voûte d'arêtes soulagées par des arcs diagonaux qui se croisent.

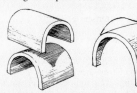

Deux berceaux se coupent à angle droit pour former une voûte d'arêtes.

BIBLIOGRAPHIE

La bibliographie de l'art roman en Europe est d'une rare abondance. Pour rester fidèle à l'esprit de cet ouvrage qui s'efforce d'échapper aux frontières nationales, il a été convenu de ne retenir que les ouvrages qui traitent le sujet dans une perspective élargie et non régionale. Le lecteur trouvera aisément les études territoriales pour poursuivre son enquête.

Histoire

– Duby, G., *Adolescence de la chrétienté occidentale, 980-1140*, Paris, 1967.
– Le Goff, J., *La Civilisation de l'Occident médiéval*, Arthaud, « Les grandes civilisations », Paris, 1977.
– Vieillard, J., *Le Guide des pèlerins de Saint-Jacques de Compostelle*, Paris, 1984.

Généralités

– Barral i Altet, X., Avril, F., Gaborit-Chopin, D., *Le Temps des Croisades*, Gallimard, « L'Univers des Formes », Paris, 1982.
– Barral i Altet, X., Avril, F., Gaborit-Chopin, D., *Les Royaumes d'Occident*, Gallimard, « L'Univers des Formes », Paris, 1983.
– Durliat, M., *L'Art roman*, Mazenod, « L'art et les grandes civilisations », Paris, 1982.
– Durliat, M., *Des barbares à l'an mil*, Mazenod, « L'art et les grandes civilisations », Paris, 1985.
– Focillon, H., *Art d'Occident. Le Moyen Âge roman et gothique*, Paris, 1938.
– Franz, H.-G., *Le Roman et le premier gothique*, « L'art dans le monde », Paris, 1973.
– Grodecki, L., Mütherich, F., Tarabon, J., et Wormald, F., *Le Siècle de l'an mil*, Gallimard, « L'Univers des Formes », Paris, 1973.
– Kinder, T. N., *L'Europe cistercienne*, Zodiaque, 1998.
– Kubach, H.-E., et Bloch, P., *L'Art roman de ses débuts à son apogée*, « L'art dans le monde », Paris, 1966.
– Riché, P., Caillet, J.-P., Gaborit-Chopin, D., Palazzo, É., *L'Europe de l'an mil*, Zodiaque, 2001.
– Toman, R., *L'Art roman. Architecture. Sculpture. Peinture*, Köneman, Cologne, 1997.

Artistes

– Bruynes (de), E., *Études d'esthétique médiévale*, 3 vol., Bruges, 1946.
– Castelnuovo, E., « L'artiste », dans *L'Homme au Moyen Âge*, Le Seuil, Paris, 1989.

– Erlande-Brandenburg, A., *De pierre, d'or et de feu. La création artistique au Moyen Âge, IVe-XIIIe siècle*, Fayard, Paris, 1999.
– Skubiszewski, P., « L'intellectuel et l'artiste face à l'œuvre à l'époque romane », dans *Le Travail au Moyen Âge*, Louvain-la-Neuve, 1990.

Thèmes

– Cahn, W., *La Bible romane, chefs-d'œuvre de l'enluminure*, Office du livre, Fribourg, 1982.
– Demus, O., *La Peinture murale romane*, Flammarion, Paris, 1970.
– Focillon, H., *L'Art des sculpteurs romans*, Leroux, Paris, 1931.
– Gaborit-Chopin, D., *Ivoire du Moyen Âge occidental*, Office du livre, Fribourg, 1978.
– Gauthier, M.-M., *Émaux du Moyen Âge occidental*, Office du livre, Fribourg, 1972.
– Grabar, A., et Nordenfolk, C., *La Peinture romane du onzième au treizième siècle*, Skira, Genève, 1958.
– Grodecki, L., *Le Vitrail roman*, Fribourg, 1972.
– Hamel (de), C., *Une histoire des manuscrits enluminés*, Phaidon, Paris, 1995.
– Krautheimer, R., *Rome. Portrait d'une ville, 312-1308*, Le Livre de poche, Paris, 1999.
– Lasko, P., *Ars sacra, 800-1200*, 2e éd., Yale-Londres, 1994.
– Lavedan, P., et Hugueney, J., *L'Urbanisme au Moyen Âge*, Paris, 1974.
– Puig i Cadafalch, J., *La Géographie et les origines du premier art roman*, Paris, 1935.
– Swarzenski, H., *Monuments of Romanesque Art*, 2e éd., Faber and Faber, Londres, 1962.
– Toubert, H., « Le renouveau paléochrétien à Rome au début du XIIe siècle », *Cahiers archéologiques*, V. XX, 1970.

Expositions

– Brandt, M., et Eggebrecht, A., *Bernward von Hildesheim und das Zeitalter der Ottonen*, 2 vol., Hildesheim-Mayence, 1993.
– *L'Art roman. Barcelone et Saint-Jacques de Compostelle*, 1961.
– *La France romane au temps des premiers Capétiens (987-1152)*, Éditions Hazan et musée du Louvre, Paris, 2005.
– Legner, A., *Ornamenta ecclesiae. Kunst und Kunstler der Romanik*, 3 vol., Cologne, 1985.
– *Rhin-Meuse, art et civilisation, 800-1400*, Bruxelles, 1972.
– Wieczorek, A., Hinz, H.-M., *Europas mitte um 1000*, 3 vol., Theiss, 2000.

TABLE DES ILLUSTRATIONS

34 Façade de l'église Notre-Dame-de-la-Basse-Œuvre, Beauvais (Oise).

35h Vue du sud-est de l'église abbatiale Saint-Michel, Hildesheim.

35b Restitution du massif occidental de l'ancienne cathédrale de Mâcon, d'après O. Juffard et Chr. Sapin.

36h Vue de la crypte, collégiale Notre-Dame, Étampes.

36b La reconstruction du Temple, Bible de Saint-Pierre de Roda, Xᵉ s. BnF, Paris.

37 Piles fasciculées, collatéral de la nef, première moitié du XIᵉ s., abbatiale Saint-Remi, Reims.

38h Vue vers le chœur de la nef, église Saint-Georges, Reichenau-Oberzell.

38b La guérison de la femme hémorroïsse et la résurrection de la fille de Jaïre (détail), fin Xᵉ s., fresque, *idem*.

39 Motifs ornementaux antiques (détail), fin du IXᵉ s., recueil de dessins provenant de Saint-Benoît-sur-Loire. BnF, Paris.

40-41 Le Christ entre les anges et les apôtres, linteau du portail, 1020-1021, marbre, église Saint-Genis, Saint-Genis-des-Fontaines (Pyrénées-Orientales).

41b Christ bénissant, chapiteau provenant de la nef de l'abbatiale de Saint-Germain-des-Prés, début du XIᵉ s., pierre. Musée national du Moyen Âge, Thermes de Cluny, Paris.

42 La Majesté de sainte Foy, partie supérieure vue de dos, or, argent, émaux, intailles, camées, pierres précieuses et adjonctions diverses. Trésor de l'abbaye, église Sainte-Foy, Conques (Aveyron).

43 La Majesté de sainte Foy, vue d'ensemble, de face, haut. 85 cm, *idem*.

44 La Présentation au temple et l'Adoration des mages (détail), portes de bronze de la cathédrale, Hildesheim.

45 Vue d'ensemble des doubles vantaux, 4,72 x 2,27 m, *idem*.

46 L'incrédulité de saint Thomas (détail), panneau d'un diptyque, fin du Xᵉ s., ivoire, Trèves. Staatliche Museen, Berlin.

47h Les locustes, enluminure, *Commentaire sur l'Apocalypse*, milieu du XIᵉ s., Saint-Sever. BnF, Paris.

47b La mort de la Vierge, enluminure, *Pontifical* de l'archevêque Robert, fin du Xᵉ s., Winchester. Bibl. municipale, Rouen.

CHAPITRE 2

48 L'abbé Didier offrant la maquette de l'église, fresque de l'abside, fin du XIᵉ s., église Sant' Angelo in Formis (Campanie).

49 Grandes arcades et tribunes de la nef, cathédrale de Durham (Angleterre).

50 L'Europe au XIIᵉ s., infographie. Édigraphie, Rouen.

51 Étienne Harding, abbé de Cîteaux, et l'abbé de Saint-Vaast d'Arras offrant la maquette de leur abbaye à la Vierge, XIIᵉ s. Bibl. municipale, Dijon.

52 Le Christ entre l'Église et la Synagogue, la Vierge et saint Jean, plaque de reliquaire, cuivre doré, émaux champlevés, haut. 9 cm. Musée national du Moyen Âge, Thermes de Cluny, Paris.

53 L'abside occidentale et vue du nord, abbatiale bénédictine de Maria-Laach (Rhénanie).

54 Nef de la cathédrale d'Ely (Angleterre).

55 Façade occidentale, cathédrale de Rochester (Kent).

56 Chevet, cathédrale de Monreale (Sicile).

56-57 Guillaume II, roi de Sicile, offre à la Vierge la maquette de la cathédrale, XIIᵉ s., mosaïque du chœur, cathédrale de Monreale.

57 Vue partielle des arcades avec la fontaine, 1176-1189, cloître de la cathédrale, Monreale.

58h Façade, église San Miniato al Monte, Florence.

58b Reconstitution de l'abbaye du Mont-Cassin en son état de 1075, d'après K. J. Conant.

59 Vue intérieure vers l'est, église San Miniato al Monte, Florence.

60-61 Maquette de l'abbaye de Cluny, avec l'abbatiale et une

partie des bâtiments monastiques (détail), réalisée en 1855 par Geugnon. Musée Ochier, Cluny.

62-63 Façade, abbatiale Saint-Étienne, Caen (Calvados).

63d Massif occidental, milieu du XIIᵉ s., église abbatiale, Marmoutier (Alsace).

64g Plan de la Grande Chartreuse, *in* Anselme Dimier, *Les Moines bâtisseurs*, Fayard, Paris, 1964.

64d Plan idéal d'un monastère cistercien, *in* Anselme Dimier, *L'Art cistercien*, Zodiaque, 1982.

65h Expansion cistercienne, infographie. Édigraphie, Rouen.

65b Vue aérienne de l'église abbatiale et des bâtiments conventuels, apr. 1135, Fountains Abbey (Yorkshire).

66 Intérieur de l'église abbatiale de Fontenay (Côte-d'Or).

67h Forge, abbaye de Fontenay.

67b Vue du cloître de l'abbaye, *idem*.

69h Cathédrale et campanile du *Campo dei Miracoli*, Pise.

69b Vue aérienne du *Campo dei Miracoli* : campanile, cathédrale, baptistère et *Campo Santo*, Pise.

70h La Tour dite César, XIIᵉ s., Provins (Seine-et-Marne).

70b Plan du castrum et du châtel de Provins, d'après Jean Mesqui.

71 Château de La Roche-Guyon (Val-d'Oise).

Saint-Étienne. Musée des Augustins, Toulouse.
101b Vue d'ensemble du cloître, v. 1100, abbatiale Saint-Pierre, Moissac.

CHAPITRE 4

102 Christ en majesté, 1123, détail des peintures murales provenant de l'abside de l'église Saint-Clément, Tahüll. Musée d'Art de Catalogne, Barcelone.
103 Tailleurs de pierre, bas-relief, deuxième moitié du XIIe s., galerie occidentale du cloître, cathédrale, Gérone (Espagne).
104 Ange, attribué à Bernard Gilduin, v. 1096, plaque de marbre remployée dans la déambulatoire de la collégiale Saint-Sernin, Toulouse.
105 Ève, relief de Gislebertus, 1130-1140, fragment du linteau de l'ancien portail nord, long. 1,32 m, cathédrale Saint-Lazare, Autun. Musée Rolin, Autun.
106h Scènes de l'Ancien et du Nouveau Testament, triptyque portatif d'Alton Towers, 1150-1160, cuivre doré, émaux champlevés et pierres précieuses, haut. 37 cm. Victoria and Albert Museum, Londres.
106-107b Pierre, moine écrivain, et Hildebert, peintre laïc, enluminure d'un missel, v. 1140. Bibl. royale, Stockholm.

107h Tapis de la Création, début du XIIe s., broderie de laine sur toile de lin, 3,65 x 4,70 m. Trésor de la cathédrale, Gérone.
108h Vaisseau central voûté de berceaux et bas-côté voûté d'arêtes, abbatiale Saint-Philibert, Tournus.
108b Voûte d'arêtes couvrant le vaisseau central, abbatiale de La Madeleine, Vézelay.
109 Crochet de métal *in* E. Viollet-le-Duc, *Dictionnaire raisonné de l'architecture française du XIe au XVIe siècle*, t. II, 1867.
110b Travée de la cathédrale d'Angoulême, gravure d'après Verneilh, *in* Jean Vallery-Radot, *Églises romanes. Filiations et échanges d'influences*, La Renaissance du livre, Paris, 1931.
110-111 Vue de la nef, , v. 1120-1130, cathédrale Saint-Pierre, Angoulême.
112g Déambulatoire de la crypte, abbatiale de Montmajour (Bouches-du-Rhône).
112d L'escalier hélicoïdal, dit vis de Saint-Gilles, XIIe s., Saint-Gilles du Gard.
113 Nef de la cathédrale, 1200, Durham.
114 Antiochus institue les rites païens (détail), Livre I des Maccabées, Bible de Winchester, 1150-1160. Bibl. capitulaire de la cathédrale, Winchester.
115 Initiale du Psaume101, *idem*.

116h Façade à trois portails, fin du XIIe s., cathédrale de Fidenza (Italie).
116b Le prophète Ézéchiel et bas-reliefs, détail du portail central, *idem*.
117h Façade à trois portails de l'église Saint-Gilles, troisième quart du XIIe s. Saint-Gilles du Gard.
117b Statues de saint Jacques et saint Paul, détail du portail central, *idem*.
118-119h Descente de Croix sur fond de frises gravées et niellées, Benedetto Antelami, 1178, marbre, bas-relief du pontile, bras sud du transept, 110 x 230 cm, cathédrale de Parme.
118b Signature de Gislebertus, tympan du portail ouest, v. 1130, cathédrale Saint-Lazare, Autun.
119b Tête d'homme aux yeux incrustés, « Maître de Cabestany », deuxième moitié du XIIe s., marbre, provenant de l'église Saint-Pierre de Roda, haut. 30 cm. Coll. Mateu, château de Perelada.
120 Christ en majesté, troisième quart du XIIe s., plaque de reliure, émail champlevé, cuivre doré, 23,6 x 13,6 cm. Musée national du Moyen Âge, Thermes de Cluny, Paris.
121 Le Baptême du Christ, fonts baptismaux fondus par l'orfèvre Renier de Huy, commandés

par l'abbé Hellin de Liège, 1107-1118, bronze, haut. 60 cm, diam. 80 cm. Église Saint-Barthélemy, Liège.
122 Les douze apôtres et la Vierge Marie, v. 1140-1145, vitrail de l'Ascension, deuxième baie du collatéral sud, nef de la cathédrale, Le Mans (Sarthe).
123 Samson arrachant les portes de Gaza et les transportant sur la montagne, 1180-1200, vitrail provenant de l'abbaye d'Alpirsbach, diam. 68 cm. Würtembergisches Landesmuseum, Stuttgart.
124 Vue d'ensemble du revers de la façade, fresques, v. 1080, Sant'Angelo in Formis.
125h Scènes de la vie du Christ, peintures murales, église Saint-Martin de Vic, Nohant-Vic.
125b Baiser de Judas, début du XIIe s., peinture murale, mur nord du chœur, *idem*.
126 Deux apôtres, troisième quart du XIIe s., cathédrale Saint-Trophime, Arles (Bouche-du-Rhône).
127 Portail ouest, *idem*.
128 Portail central de la nef, 1120, abbatiale de La Madeleine, Vézelay.

TÉMOIGNAGES ET DOCUMENTS

129 Ruines de Cluny, lithographie d'Émile Sagot, XIXe s. Centre des Monuments nationaux, Paris.

CRÉDITS PHOTOGRAPHIQUES

AKG-images, Paris 23, 27. AKG/Paul Almasy 71. AKG/Cameraphoto 85d. AKG/János Kalmár 20h. AKG/Erich Lessing 42, 43, 58h, 107h. AKG/Rodemann/Schütze 35h. Auguste Allemand/D.R. 7. Altitude/François Jourdan, Paris 32b. Librairie Arthème Fayard, Paris 64g. Artur/Klaus Frahm, Cologne 54, 55. Bayerische Staatsbibliothek, Munich 12. Achim Bednorz, Cologne 3, 11, 18-19h, 38h, 38b, 40-41, 44, 45, 59, 63d, 66, 69h, 76, 93, 105, 110-111, 112g, 116h, 116b, 117h, 121, 126, 127. Bibliothèque capitulaire de la cathédrale, Winchester 114, 115. Bibliothèque municipale, Chartres 28. Bibliothèque royale, Stockholm 106-107b. Bibliothèque vaticane, Vatican 92h. Bibliothèque de l'Université, Leyde 20b. BnF, Paris 29b, 36b, 39. BPK/Jörg P. Anders, Berlin, dist. RMN 46. Bridgeman-Giraudon, Paris 24, 106h, 113. Bridgeman-Giraudon/Peter Willi 118b. Coll part. 109, 110b, 132. CNM/Patrick Cadet, Paris 129. Corbis/Paul Almasy, Paris 67h, Corbis/Charles E. Rotkin 69b. G. Dagli Orti, Paris 4, 8, 48, 51, 56-57, 80, 81h, 81m, 81b, 101b, 124. Bernard Delorme, Toulouse 101h. Jean Dieuzaide, Toulouse 103. Archives Gallimard, Paris 16, 22, 47h, 50, 65h. Archives Gallimard/Bruno Lenormand 70b. Éditions Gallimard/Catherine Hélie, Paris 160. UdF– la Photothèque © Gallimard 30g, 32-33, 47b, 58b, 72h. Pierre Belzeaux-Rapho © Gallimard so, 53, 78d, 83, 122, 123. Jean Dieuzaide-Rapho © Gallimard 2ᵉ plat, 98-99, 102, 144, 155. Robert Emmet Bright-Rapho © Gallimard 84-85, 88hg. Gallimard Loisirs/Maurice Pommier 14. Gallimard Loisirs/Jean-François Peneau 91b. Gallimard Loisirs/Philippe Candé 148. Gallimard Loisirs/Bruno Lenormand 149. Éditions Gaud/Henri Gaud, Moisenay 6, 60-61, 87h, 87b, 108b. Hirmer Verlag, Munich 30d. Claude Huber, Lausanne 34, 49, 75. Yves Lebrun, Avesnes-sur-Helpe 78g. LMZ RP/Gustav Rittstieg, Coblence 29h. Philippe Maillard, Paris 1ᵉʳ plat, 128. Arxiu Mas, Barcelone 119b. Serge Matterne, Liège 90b. MRAH, Bruxelles 92b. Oronoz, Madrid 9, 88-89b, 88-89h, 90-91h, 94. Ivo Pervan, Split 21. Photononstop/Charlie Abad, Paris 74. Photononstop/Eurasia Press 97. The Pierpont Morgan Library, New York 82. RMN, Paris 17b. RMN/Gérard Blot 41b, 52, 120. Roger-Viollet/CAP, Paris 25. Roger-Viollet/LL 72-73. Roger-Viollet/ND 62-63. Christian Sapin, Lantenay 35b. Scala, Florence 1, 2, 5, 18b, 56, 57, 95, 96, 100, 118-119h, 125h, 125b. Scope/Jean-Luc Barde, Paris 108h. Scope/Jacques Guillard 70h. Scope/Michel Guillard 19b. Scope/Noël Hautemanière 31. Wing Tat Shek, Paris 77, 86, 87m, 104, 112d, 117b. Simmons Aerofilms Ltd., Potter Bar. 65b. Josef A. Slominski/D. R. 13. SLUB Dresden/Deutsche Fotothek, Dresde 17h. Henri Stierlin, Genève 67b. Victoria and Albert Museum, Londres 79. A. Villani & Figli/D. R. 15. Photothèque Zodiaque, La Pierre-qui-Vire 26, 36h, 37.

REMERCIEMENTS

Cet ouvrage n'aurait pu voir le jour si l'équipe éditoriale réunie par Elisabeth de Farcy n'avait apporté, grâce à une présence permanente, aide et conseil (*auxilium et consilium*) ; Charlotte Ecorcheville, Clémence Grillon, Vincent Lever, qu'ils en soient tous remerciés.
L'éditeur remercie pour leur disponibilité Madame Christiane Zuk du Musée national de la Renaissance et Madame Christiane Descombin.

ÉDITION ET FABRICATION

DÉCOUVERTES GALLIMARD
COLLECTION CONÇUE PAR Pierre Marchand.
DIRECTION Elisabeth de Farcy. COORDINATION ÉDITORIALE Anne Lemaire.
GRAPHISME Alain Gouessant. COORDINATION ICONOGRAPHIQUE Isabelle de Latour.
SUIVI DE PRODUCTION Fabienne Brifault. SUIVI DE PARTENARIAT Madeleine Giai-Levra.
RESPONSABLE COMMUNICATION ET PRESSE Valérie Tolstoï.
PRESSE Flora Joly et Alain Deroudilhe.

L'ART ROMAN, UN DÉFI EUROPÉEN
Avec la participation de Frédéric Morvan.
ÉDITION Charlotte Ecorcheville. ICONOGRAPHIE Clémence Grillon. MAQUETTE Vincent Lever.
LECTURE-CORRECTION Pierre Granet et Jocelyne Marziou. PHOTOGRAVURE André Michel.

Alain Erlande-Brandenburg, ancien élève de l'École nationale des Chartes, directeur d'études à l'École pratique des hautes études, a été directeur du musée national du Moyen Âge, adjoint au directeur des Musées de France (1987-1991), directeur des Archives de France (1994-1998). Il est, depuis 2000, directeur du musée national de la Renaissance à Écouen, qu'il a contribué à créer. Il a publié de nombreux ouvrages, notamment sur l'architecture romane, ainsi qu'un volume de « L'Univers des Formes » sur l'art gothique aux éditions Gallimard ; il est l'auteur de *Quand les cathédrales étaient peintes*, dans la collection « Découvertes ».

*À Marcel Durliat,
en témoignage de ma grande admiration.*

*Dépôt légal : avril 2005
Numéro d'édition : 131609
ISBN : 2-07-030068-4
Imprimé en France par Kapp*